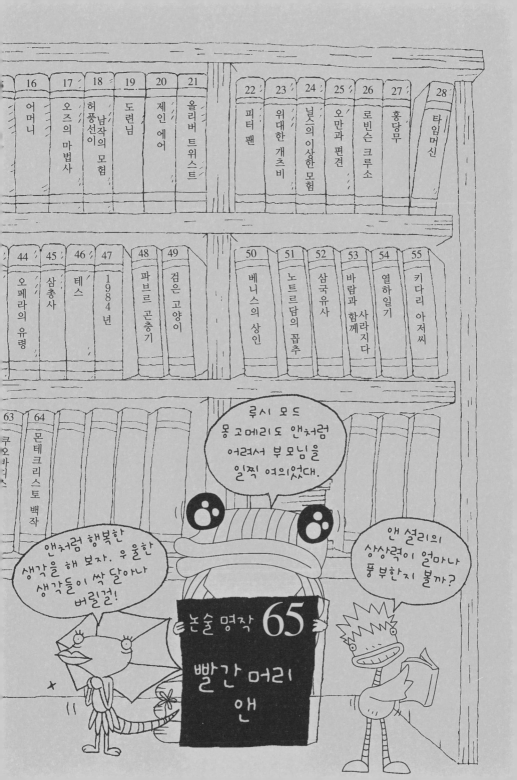

아이세움 논술 | 명작 65

빨간 머리 앤

감수 및 개발진

감수 방민호

서울대 국문과, 같은 과 대학원을 졸업했습니다. 제1회 창비신인평론상과 제18회 김달진문
학상을 수상했으며, 현재 서울대 국문과 교수로 재직 중입니다. 〈비평의 도그마를 넘어〉,
〈문명의 감각〉을 비롯한 많은 책을 쓰고 엮었습니다.

편집 · 진행 비단구두

비단구두는 밥만큼 아이들 책을 좋아하는 사람들이 모여 어린이들에게 꼭 필요한 이야기와
철학이 담긴 책을 만드는 아동 도서 전문 기획회사입니다.

캐릭터 디자인 아이원커뮤니케이션(www.ionecom.co.kr)

아이원커뮤니케이션은 도전하는 창조적 정신과 책을 사랑하는 열정으로 우리 생활
곳곳에 꼭 필요한 좋은 책을 만들고자 탄생한 Book 콘텐츠 기획 · 제작 전문 회사입니다.

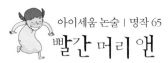

아이세움 논술 | 명작 65
빨간 머리 앤

원작 루시 모드 몽고메리 | **엮음** 정유리 | **그림** 정경화 | **감수** 방민호
펴낸날 2008년 12월 30일 초판 1쇄, 2013년 10월 25일 초판 7쇄
펴낸이 김영진

본부장 조은희 | **사업실장** 이영호
편집장 박철주 | **편집 · 진행** 박희정, 위혜정, 고여주, 이유진 | **디자인** 강륜아
펴낸곳 (주)미래엔 | **주소** 서울시 서초구 잠원동 41-10
전화 마케팅 02)3475-3843~4 편집 02)3475-3924 | **팩스** 02)541-8249
등록 1950년 11월 1일 제16-67호 | **홈페이지** www.i-seum.com

ISBN 978-89-378-4906-0 74890
ISBN 978-89-378-4116-3 (세트)

아이세움 논술 ｜ 명작 65

빨간 머리 앤

루시 모드 몽고메리 원작
정유리 엮음 ｜ 정경화 그림

아이세움
i-seum

명작은 인간과 사회를 이해하는 첫걸음입니다

많은 사람들에게 재미와 감동을 주는 탁월한 작품을 명작이라고 합니다. 그중 시간과 공간을 초월하여 변함없이 사랑받아온 작품을 고전이라고 하지요.

우리는 어릴 때부터 고전과 명작 읽기의 중요성에 대해 배워 왔습니다. 고전 명작이 소중한 이유는 그 안에 인간과 사회에 대한 작가의 치열한 상념이 녹아 있기 때문입니다. 탄탄한 서사 구조 속에 재미와 감동은 물론, 시대를 대변하는 보편적인 가치가 반영되어 있기 때문입니다.

따라서 고전 명작을 읽을 때에는 작품 속 주제 의식이나 작가의 세계관을 올바로 이해하려는 노력이 필요합니다. 작가가 작품을 쓰던 당시의 사회적 배경이 어떠하였는지, 또 작품에서 가장 중요하게 다루고 있는 논쟁거리가 무엇인지에 대해 깊이 고민해야 합니다. 주제, 줄거리 등을 단편적으로 암기하는 것이 아니라 작가와 교감을 통해 인간과 사회에 대한 이해를 넓혀 가는 것입니다. 이런 노력이 뒷받침되어야 우리는 비로소 고전 명작을 읽었다라고 이야기할 수 있습니다.

〈아이세움 논술 ㅣ 명작〉은 고전 명작이 어른들의 전유물이라는 편견을 버리고, 재미있는 삽화와 쉬운 문장으로 구성하였습니다. 그리고 작품을 읽기 전에 작품을 둘러싼 시대적 배경을 알려 주고 읽은 후에는 작품에 대해서 토론하면서 생각할 수 있도록 구성되어 있습니다. 어린 독자들이 고전에 친숙해질 수 있는 기회를 주는 책이라고 생각합니다.

어린 시절에 읽는 양서 한 권이 어린이의 미래를 바꿉니다. 부디 〈아이세움 논술 ㅣ 명작〉으로 세계를 바라보는 안목을 높이고 자기만의 세계를 공고히 다져 나가기 바랍니다.

서울대학교 국어국문학과 교수

방 민 호

명작 읽기의 소중함

　열심히 책만 읽기에는 너무 고단한 우리 학생들에게 다시 '논술' 열풍이 불고 있다. 학생들이 스스로 즐겨 그렇게 된 것은 아니지만, 학생들을 위해 결코 나쁜 일이라고만 말할 수는 없을 것이다.

　새삼스러운 얘기일 터이지만 좋은 글을 쓸 수 있는 가장 빠른 길은 "많이 읽고(다독多讀) · 많이 쓰고(다작多作) · 많이 생각(다상량多商量)"하는 삼다(三多)밖에 다른 것이 없다.

　먼저 다독이 문제다. 많이 읽는다고 해서 아무 책이나 마구잡이로 읽는 것을 다독이라고 하지는 않는다. 많이 읽되, 좋은 책을 읽을 때 그것이 다독이다. 그렇다면 어떤 책이 좋은 책일까?

　우선 고전이라 할 명작에는 사람이 세상을 살면서 알아야 할 온갖 삶의 지혜와 가치가 담겨 있다. 가령 〈지킬 박사와 하이드〉에서는 인간 내면에 혼재해 있는 선과 악의 대립을, 〈동물농장〉

에서는 삶을 한없이 타락시키는 전체주의와 아름다운 삶을 지향하는 인간의 무한한 이상의 끊임없는 갈등과 투쟁에 대한 반추를 해 볼 수 있다. 이런 고전을 재미있게 읽고 생각하는 기회를 갖는 것이 바로 좋은 글을 쓸 수 있는 바탕이다. 문제는 고전이 너무 어렵고 분량이 방대하다는 점이다.

이번에 출간된 〈아이세움 논술Ⅰ명작〉은 원전의 내용을 재구성해 어린 학생들이 쉽게 고전과 친해지도록 만들었다. 지루함을 덜기 위해 캐릭터를 사용해서 그 캐릭터들과 끊임없이 교감하며 끝까지 책을 손에서 놓지 못하게 만든 것도 이 시리즈의 특색이요 장점일 터이다. 책 뒤에 논술을 학습할 수 있도록 논술 워크북과 가이드북을 제공하여 '학습과 논술'이라는 두 문제를 다 해결할 수 있도록 배려한 점도 주목할 만하다. 어린 학생들이 편안하고 소중한 독서 경험을 하리라 본다.

물론 이 명작선은 완역본이 아니므로 이것만 읽어서는 해당 작품을 제대로 읽었다고 말할 수 없을 것이다. 그러나 훗날 학생들이 성장하여 완역본으로 다시 읽고 올바르게 이해하는 데 큰 도움이 되도록 세심한 배려를 했다.

이 점도 이 시리즈가 귀하고 값진 이유이다.

시인
신경림

| 차 례 |

안녕, 난 **뒤뚱이.**
〈빨간 머리 앤〉을 읽고
우리도 상상력을 좀 더
키워 보자.

난 **번빠리.**
주근깨, 빨간 머리
앤 셜리는 나랑 닮은 점이
참 많은 것 같아.

우리도 앤의 초록 지붕 집에 한번 가 보고 싶어.

앤의 이야기들을 듣고 있노라면 시간 가는 줄 몰라.

박테리아   고로케   튜브   팬티맨

PART1
PART1 PART1
PART1 PART1 PART1
PART1 PART1 PART1 PART1
PART1 PART1 PART1 PART1 PART1
PART1 PART1 PART1 PART1 PART1
PART1 PART1 PART1 PART1 PART1
PART1 PART1 PART1 PART1
PART1 PART1 PART1

명작 살펴보기

엉뚱하지만 밝고 따뜻한
앤을 만나러 가 볼까?

PART 1

명작 살펴보기

빨간 머리 앤의 초대

빨간 머리 앤이 벚꽃이 활짝 피어 있는 에이번리 마을로
뒤뚱이와 번빠리를 초대했어요. 자신의 소중한 보물들을 보여
준다는 거예요. 그런데 아무리 둘러봐도 보물은 없었어요.
그때 앤이 저 멀리서 콧노래를 흥얼거리며 다가왔어요.

내 두 번째 보물은 매슈 아저씨와 마릴라 아주머니야. 고아인 나를 키워 준 고마운 분들!

지금이라도 돌아가는 게 낫지 않을까?

그래도 마지막 보물이 남았잖아.

세 번째 보물은 여기 내 사랑하는 친구들이야.

앤의 소중한 보물들을 무시하는 거야? 너희는 감성이 너무 메말랐어.

앤은 너무 엉뚱해.

무슨 보물이 이래?

이야기를 읽으며 앤의 보물들을 더 찾아보자.

상상하기와 수다 떨기를 좋아하는 빨간 머리 소녀 앤 셜리.
고아 소녀 앤이 에이번리 마을의 초록 지붕 집에 살게 되었어요.
초록 지붕 집에서 앤이 발견한 보물에는 또 무엇이 있는지
우리도 함께 가서 찾아볼까요?

고아 소녀 앤의 씩씩한 성장 이야기

〈빨간 머리 앤〉에는 발랄하고 감수성이 풍부한 앤이라는 소녀가 등장합니다. 이 책의 작가인 루시 모드 몽고메리는 고아인 데다 얼굴도 못생긴 앤을 세상에서 가장 씩씩하고 빛나는 아이로 만들었어요. 겉모습보다는 내면의 아름다움이 얼마나 중요한지를 앤을 통해 보여 주고 싶었던 것이지요.

엉뚱하고 수다스러운 고아 소녀 앤 셜리가 초록 지붕 집에 오게 된 이후로 초록 지붕 집은 하루도 조용할 날이 없게 되었어요. 수줍음 많은 매슈와 고지식한 마릴라도 사랑스러운 앤에게 푹 빠져 버렸답니다. 초록 지붕 집에도 따뜻한 봄이 찾아온 거예요.

행복한 꿈을 꾸는 아이

앤은 일찍 부모님을 여읜 고아 소녀예요.
하지만 앤은 고아라고 해서 우울해하거나
풀이 죽어 있지는 않았어요. 앤의 머릿속에는
행복한 이야기가 가득했거든요.

스펜서 부인의 기분 좋은 실수로 에이번리 마을의
초록 지붕 집에 살게 된 앤은 무뚝뚝하고 조용한 매슈
와 마릴라의 마음을 단번에 사로잡았어요

힘든 일도 언제나 씩씩하게 이겨 내는 앤 셜리.
가만히 듣고 있으면 시간 가는 줄 모르는 앤의
유쾌한 이야기를 들으며 우리도
행복한 꿈을 꿔 볼까요?

루시 오드 몽고메리도
앤처럼 어릴 적에 부모님이
돌아가셨대. <빨간 머리 앤>은
몽고메리의 얘기라고
할 수 있지.

Start 발단

매슈와 마릴라는 고아원에서 일을 도와줄 남자 아이를 입양하기로 한다. 그러나 스펜서 부인의 실수로 앤이 오게 되었다. 마릴라는 앤이 여자 아이라 입양을 반대하지만 매슈가 앤을 마음에 들어 하여 입양을 결정한다.

expansion 전개

초록 지붕 집에 살게 된 앤은 하루라도 조용한 날이 없다. 사고뭉치에다 잠시도 쉬지 않고 떠들어 댔기 때문이다. 하지만 마릴라와 매슈는 앤이 얼마나 사랑스러운지 금세 알게 된다. 앤은 영원한 단짝 다이애나를 만난다.

climax 절정

학교에 다니게 된 앤은 홍당무라고 놀리는 길버트의 머리를 석판으로 내리치는 사고를 친다. 또 다이애나에게 포도주를 마시게 하고, 머리카락을 칙칙한 초록색으로 염색하기도 한다.

ending 결말

앤은 열심히 공부하여 레이먼드 대학 장학생이 되지만 매슈가 죽고 나서 마릴라의 곁에 남기로 결정한다. 그리고 길버트와도 드디어 오해를 풀고 화해를 한다.

열어 봐!

초록 지붕 집에 모인 엉뚱한 가족

고아원에서 자란 앤 셜리는 초록 지붕 집에서 매슈 아저씨와 마릴라 아주머니와 함께 살게 됐어요. 보금자리가 생긴 앤은 정말 행복했어요. 더 이상 떠돌아다니지 않아도 되고, 외출을 하면 기쁜 마음으로 돌아갈 집이 생겼거든요.

그뿐인가요? 매슈 아저씨와 마릴라 아주머니라는 든든한 가족이 생겼잖아요. 매슈 아저씨와 마릴라 아주머니도 앤이 오고 나서 아주 바빠졌어요. 앤의 수다도 다 들어 줘야 하고, 넘치는 상상력 때문에 앤이 엉뚱한 사고를 저지르지 않나 긴장해야 했으니까요.

하지만 매슈 아저씨와 마릴라 아주머니는 앤이 얼마나 사랑스럽고 따뜻한 아이인지 알게 되고, 앤을 가족으로 받아들인답니다. 초록 지붕 집에 모인 사람들이 어떻게 서로 믿고 의지하게 되는지 눈여겨보세요.

◀ 〈빨간 머리 앤〉의 배경이 된 초록 지붕 집이에요. 실제로 작가 루시 모드 몽고메리의 먼 친척 집이라고 해요.

말괄량이 소녀에서 어여쁜 아가씨로!

에이번리 마을의 사람들은 앤을 싫어하려야 싫어할 수 없었어요. 앤은 늘 밝고 예의 바르게 행동했거든요. 물론 가끔 엉뚱한 실수를 하긴 했지만요.

학교에 들어간 앤은 공부도 열심히 했어요. 자신을 키워 준 매슈 아저씨와 마릴라 아주머니에게 기쁨을 안겨 주기 위해서였지요.

타고난 밝은 성품과 매슈 아저씨의 사랑과 마릴라 아주머니의 바른 교육 덕택에 앤은 에이번리 마을에서 가장 빛이 나는 어여쁜 아가씨로 성장했어요. 그리고 모든 사람에게 기쁨과 행복을 주는 소중한 앤이 되었답니다. 앤처럼 멋진 어른이 되고 싶다면 지금 당장 〈빨간 머리 앤〉을 읽어 보세요.

우리도 겉모습보다는 내면을 잘 가꾸는 사람이 되자꾸나.

앤은 엉뚱하고 실수도 많은 말괄량이지만 내면은 그 누구보다 아름다운 소녀였어.

▲ 〈빨간 머리 앤〉의 출간 100주년 기념 우표입니다.
앤은 꿈을 가진 소녀들의 훌륭한 모범이 되었어요.

잠시 휴식! 와플을 먹고 〈빨간 머리 앤〉을 읽어 보세요!

PART 2 PART 2

PART 2 PART 2 PART 2

PART 2 PART 2 PART 2

PART 2 PART 2 PART 2 PART 2

PART 2 PART 2 PART 2 PART 2 PART 2

PART 2 PART 2 PART 2 PART 2 PART 2 PART 2

PART 2 PART 2 PART 2 PART 2 PART 2

PART 2 PART 2 PART 2 PART 2

PART 2 PART 2 PART 2

PART 2 PART 2 PART 2

명작 읽기

앤이 꿈꾸는 상상의 세계가
얼마나 아름다운지 볼까?

PART 2

명작 읽기

1장
고아 소녀 앤

6월이 시작된 어느 날 오후 린드 부인은 초록 지붕 집으로 불쑥 들어섰다. 마릴라는 창가에 앉아 뜨개질을 하고 있었다. 저녁이 차려진 부엌 식탁에는 접시 세 개가 놓여 있었다.

'집에 손님이 오기로 했나?'

린드 부인은 이렇게 생각하며 집 안을 재빨리 둘러보았다. 평소에 쓰는 접시에다 사과 통조림과 케이크가 놓여 있는 것으로 봐서는 특별한 손님 같지는 않았다.

마릴라가 먼저 인사를 했다.

"안녕하세요, 린드 부인. 저녁 시간에 웬일이세요?"

마릴라와 린드 부인은 서로 닮은 점은 없지만 그나마 가장 왕래를 자주 하는 이웃이었다. 마릴라는 키가 크고 마른 편이었다. 머리는 언제나 말아 올려 머리핀 두 개로 단단히 고정시켰다. 통통한 린드 부인이 수다를 떨면 마릴라는 곁에서 가만히 들어 주었다.

린드 부인이 궁금함을 참지 못하고 입을 열었다.

"아까 매슈가 외출外出하는 것을 봤어요. 혹시 의사를 데리러 가는 건 아니겠죠?"

마릴라는 린드 부인이 찾아올 줄 이미 알고 있었다. 매슈가 길을 떠나는 모습을 보고 당연히 궁금해할 것이라고 생각했기 때문이다.

"아니에요. 매슈 오빠는 브라이트 강 역에 갔어요. 오늘 우리 집에 노바스코샤의 한 고아원에서 남자 아이가 오기로 했거든요."

린드 부인은 말문이 막혔다.

마릴라와 린드 부인은 성격이 정반대야. 마릴라는 무뚝뚝하고, 린드 부인은 참견하기 좋아하고!

외출(外出) : 집이나 근무지 따위에서 벗어나 잠시 밖으로 나감.

"아니, 그게 정말이에요?"

마릴라는 고아원에서 남자 아이를 데려오는 것이 별일이 아닌 것처럼 고개를 끄덕였다. 하지만 린드 부인은 몹시 충격을 받았다. 마릴라와 매슈가 남자 아이를 양자로 들이다니! 린드 부인은 흥분을 감추지 못하고 물었다.

"그런 터무니없는 생각을 어떻게 한 거죠?"

"지난해 크리스마스에 스펜서 부인이 호프턴 고아원에서 여자 아이를 입양할 거라고 하더군요. 그때부터 매슈 오빠와 나도 남자 아이를 입양하는 일에 대해 종종 이야기를 했지요. 이제 오빠는 늙어서 젊을 때처럼 기운도 못쓰고, 심장 때문에 무리를 해도 안 돼요. 일꾼을 쓰는 것도 번거롭고요. 스펜서 부인에게 여자 아이를 데리러 갈때 열 살쯤 된 영리한 남자 아이도 데려다 달라고 부탁했어요. 그 정도면 심부름 정도는 시킬 만한 나이니까요. 아까 우체부가 전보를 가져다줬는데, 오늘 저녁 스펜서 부인이 그 아이를 브라이트 강 역에 내려 줄 거래요."

린드 부인은 한층 목소리를 높였다.

"나는 당신과 매슈가 좀 더 신중했어야 한다고 생각해요. 그 아이에 대해 아무것도 모르잖아요. 지난주 신문에서 본 기사가 생각나네요. 한 부부가 고아원에서 남자 아이를 데려다 길렀는데 집에다 불을 질렀대요. 만일 나한테 상의(相議)했다면 말렸을 거예요."

린드 부인은 마릴라의 기분은 조금도 생각하지 않고 이야기를 쏟아 냈다. 마릴라는 달갑지 않은 충고였지만 화내지 않고 차분하게 말했다.

"나도 조금은 불안해요. 하지만 오빠가 이미 마음을 굳혔기 때문에 나도 따르기로 했어요."

린드 부인은 매슈가 아이를 데리고 집에 올 때까지 기다리고 싶었다. 그러나 매슈가 오려면 두 시간은 더 기다려야 했다. 그래서 차라리 다른 사람들에게 그 소식을 전하기로 했다.

매슈는 브라이트 강 역까지 마차를 느긋하게 몰았다.

상의(相議) : 어떤 일을 서로 의논함.

농장들 사이로 뻗어 있는 길은 아름다웠다.
전나무 사이를 지날 때는 발삼 향내가 풍겼
고 자두나무들이 서 있는 골짜기를 지날 때
는 꽃들이 춤을 추며 몸을 내밀었다.

발삼은 송진처럼
침엽수에서 분비되는
끈끈한 액체를 말해.

　매슈는 브라이트 강 근처에 있는 호텔 뜰에
말을 매고 역으로 갔다. 역은 한산했다. 바깥
판자 더미 위에는 여자 아이 한 명만이 앉아
있었다. 매슈는 역장에게 5시 30분발 기차가
곧 오냐고 물었다.

　"5시 30분발 기차는 이미 떠났어요. 하지만 스펜서 부
인이 당신이 데려갈 거라면서 여자 아이를 내려놓고 갔어
요. 저 바깥 판자 더미 위에 앉아 있을 거예요."

　"나는 남자 아이를 데리러 왔어요. 스펜서 부인에게 남
자 아이를 원한다고 했거든요."

　"무슨 오해가 있었던 것 같군요. 당신과 당신 여동생이
고아원에서 여자 아이를 입양했다고 했어요. 어찌 된 일
인지 그 아이한테 물어보는 게 좋겠는데요."

역장은 저녁을 먹어야 한다며 가 버렸다.

매슈는 난감한 표정으로 여자 아이에게 시선을 돌렸다. 열한 살쯤 된 여자 아이는 몸에 딱 달라붙는 보기 흉한 황갈색 원피스를 입고 있었다. 빛바랜 모자 아래로는 빨간 머리를 두 갈래로 땋아 길게 늘어뜨리고 있었다. 작은 얼굴은 야윈 데다 주근깨도 많았다. 입과 눈은 컸는데, 햇살 때문인지 눈동자 색이 초록빛도 나고 잿빛도 났다.

매슈는 먼저 말을 걸어야 할지 말아야 할지 고민했다. 그때 여자 아이가 구식 여행 가방을 들고 일어나더니 매슈에게 손을 내밀었다.

"초록 지붕 집에서 온 매슈 커스버트 아저씨 맞죠? 아저씨가 오지 않을까 봐 걱정했어요. 그래서 저 벚꽃 나무 위에서 밤을 보낼 생각을 했지요. 하얀 벚꽃이 핀 나무에서 달빛을 받으며 자는 것도 멋지잖아요. 아저씨가 오늘 밤에 못 오면 내일 아침에는 꼭 올 거라고 생각했어요."

매슈는 몹시 난처했다. 도저히 오해가 있었다고 말할 수가 없었다. 일단은 집에 가서 마릴라와 의논해 봐야 할

것 같았다. 매슈가 쑥스러워하며 쭈뼛쭈뼛 말했다.

"늦어서 미안하구나. 가방은 이리 다오."

"어머, 제가 들게요. 이 가방에는 세상의 모든 물건이 다 들어 있지만 아주 가벼워요. 또 정해진 대로 들지 않으면 손잡이가 빠져 버린답니다. 꽤 오래 가야 하죠? 스펜서 부인이 역에서 12킬로미터 정도 떨어져 있다고 했는데 마차 타는 것을 좋아하니까 잘됐어요. 아저씨 가족과 함께 사는 건 정말 좋을 것 같아요. 고아원은 너무 끔찍해요. 상상할 거리가 전혀 없거든요. 넉 달밖에 살지 않았지만 그 점은 충분히 느낄 수 있었어요."

여자 아이는 마차가 있는 곳까지 다 와서야 이야기를 멈췄다. 마차가 비탈길에 접어들자 활짝 핀 벚꽃 나무와 곧은 자작나무들이 늘어서 있는 게 보였다. 여자 아이는 아름다운 풍경에 감탄_{感歎}하며 다시 이야기를 시작했다.

"저는 레이스 모양의 새하얀 나무를 보면 아름다운 신

감탄(感歎): 마음속 깊이 느끼어 탄복함.

부가 떠올라요. 제가 신부가 될 거라곤 기
대하지 않아요. 못생긴 저랑 결혼하고
싶어 하는 남자는 없을 테니까요. 하지만
하얀 드레스는 꼭 한번 입어 보고 싶어요."

루시 모드 몽고메리의
소설에는 아름다운 자연을
찬양하는 장면들이 참 많아.

여자 아이는 한숨을 내쉬며 자기가 입고
있는 옷을 한번 내려다보고는 말을 이었다.

"오늘 아침 고아원을 나올 때 낡은 원피스를
입어야 해서 창피했어요. 하지만 세상에서 가장
아름다운 남빛 실크 드레스를 입고 있다고 상상
했지요."

여자 아이는 종알종알 쉴 새 없이 떠들어 댔다. 매슈는
그런 여자 아이를 신기하다는 듯이 바라보았다.

"저는 벌써부터 이곳이 좋아졌어요. 제가 말이 너무 많
나요? 아저씨가 원한다면 입을 다물게요. 아무리 어려운
일이라도 마음만 먹으면 해낼 수 있으니까요."

매슈로서는 여자 아이의 기발한 정신 세계를 따라가기
가 상당히 벅찼다. 하지만 홀린 듯 자기도 모르게 귀를 기

울이고 있었다. 매슈는 수줍게 말했다.

"상관없으니 계속 얘기하려무나."

"사람들은 제가 거창한 단어를 쓴다고 비웃어요. 하지만 저는 생각이 거창하면 거창한 단어를 쓰는 게 당연하다고 봐요."

여자 아이는 길게 땋아 늘어뜨린 머리카락을 잡아당겨 매슈의 눈앞에 갖다 댔다.

"빨간색이구나."

매슈의 말에 여자 아이가 체념한 표정을 지었다.

주근깨 빼빼 마른
빨간 머리 앤, 예쁘지는
않지만 사랑스러워~.

"저는 주근깨랑 초록색 눈, 말라깽이는 별로 신경 쓰지 않아요. 오월의 장미를 닮은 살결과 보라색 눈을 가지고 있다고 상상할 수 있거든요. 하지만 빨간 머리는 아무리 까만색이라고 상상해도 잊을 수가 없어요."

마차가 가로수 길에 들어서자 여자 아이는 탄성을 질렀다. 가로수 길은 사과나무들이 아치를 이룬 곧은 도로였다. 눈처럼 천장을 뒤덮고 있는 흰 꽃들을 보며 여자 아이는 환희에 가득 찬 표정을 지어 보였다. 마차가 뉴브리지로 가는 긴 비탈길을 내려갈 때까지 여자 아이는 할 말을 잊은 채 뒤를 돌아보고 있었다.

매슈가 헛기침을 하며 침묵沈默을 깼다.

"흠흠, 피곤하겠구나. 이제 조금만 더 가면 돼."

그러자 여자 아이가 황홀한 눈빛으로 물었다.

"우리가 지나온 곳의 이름이 뭐죠?"

"가로수 길이란다."

"제 상상력으로도 만들 수 없는 광경이에요. 정말이지 아름다운 곳이에요. 그런데 가로수 길은 전혀 어울리지 않는 이름이에요. '환희의 하얀 길' 어때요? 저는 뭐든 이름이 마음에 들지 않으면 새로 지어 준답니다."

마차가 언덕 꼭대기를 넘었다. 언덕 아래쪽에 있는 호수는 전나무와 단풍나무로 둘러싸여 있었다. 그리고 물

침묵(沈默) : 아무 말도 없이 잠잠히 있음. 또는 그런 상태.

위에 반사되는 온갖 빛깔들로 찬란히 빛나고 있었다. 매
슈가 호수에 대해 설명했다.

"저건 배리 호수란다."

"저는 '반짝이는 호수'라고 할래요. 정말 딱 어울리는
이름이에요. 제 가슴이 떨리는 걸 보면 알 수 있거든요.
그런데 사람들이 왜 배리 호수라고 부르는 거예요?"

"호수 근처에 배리 가가 오래 살고 있어서 그럴 거야.
배리 씨 집에도 다이애나라는 네 또래의 딸이 있단다."

그 말에 여자 아이는 탄성을 내질렀다.

"정말 멋진 이름이에요! 어머, 벌써 다리를 다 지났네
요. 반짝이는 호수님, 잘 자요!"

마차가 언덕배기에 들어서자 매슈가 말했다.

"집에 거의 다 왔다. 초록 지붕 집⋯⋯."

"어머, 말하지 마세요. 제가 알아맞힐래요."

여자 아이는 주위를 천천히 둘러보았다. 작은 골짜기
너머 비탈진 언덕에 자리 잡은 아담한 농장들이 보였다.
아이는 진지한 눈빛으로 여기저기를 살펴보았다.

"저기죠? 그렇죠?"

여자 아이가 정확히 초록 지붕 집을 가리켰다. 매슈는 얼굴 가득 환한 미소를 지었다.

"그래, 스펜서 부인이 알려 줬니?"

"아뇨. 스펜서 부인이 말해 준 곳은 꼭 딴 데 같았어요. 하지만 저 집을 보자마자 우리 집이라는 느낌이 왔어요. 아, 마치 꿈을 꾸고 있는 것 같아요."

매슈는 불안했다. 여자 아이에게 진실眞實을 말해 줄 사람이 마릴라라는 게 천만다행이었다. 마차는 언덕을 올라 샛길로 들어섰다. 여자 아이는 매슈가 마차에서 내리도록 도와줄 때 가만히 속삭였다.

"나무들이 잠꼬대하는 소리가 들려요."

여자 아이는 여행 가방을 들고 매슈를 따라 집 안으로 들어섰다. 마릴라는 매슈의 목소리를 듣고 밖으로 나오다 가 빨간 머리에 보기 흉한 원피스를 입은 여자 아이를 보

진실(眞實) : 거짓이 없는 사실.

고 깜짝 놀랐다. 마릴라가 소리치듯 물었다.

"저 아이는 누구죠?"

"남자 아이는 없었어. 이 여자 아이뿐이었다."

매슈는 그제야 여자 아이에게 이름조차 묻지 않았다는 사실을 깨달았다. 마릴라가 목소리에 힘을 주어 말했다.

"우리는 남자 아이를 보내 달라고 했잖아요."

"스펜서 부인이 실수를 했나 보더라고. 할 수 없이 이 아이를 데려올 수밖에 없었어."

"이런, 일이 복잡해졌군요."

여자 아이는 두 사람의 대화의 뜻을 알아 차리고 가방을 떨어뜨렸다. 그리고 울음을 터뜨렸다.

"저를 원한 게 아니었군요. 이런 일을 예상했어야 하는데……. 저를 원하는 사람은 아무도 없었으니까요."

매슈와 마릴라는 난처한 표정으로 서로 얼굴만 쳐다보았다. 마릴라가 여자 아이를

달랬다.

"얘야, 그런 일로 울 필요는 없단다."

여자 아이는 눈물범벅이 된 얼굴로 입술을 바르르 떨며
말했다.

"생각해 보세요. 아주머니가 고아인데 가족이 되기 위
해 찾아간 집에서 남자 아이가 아니라서 원치 않는다는
사실을 안다면 울지 않겠어요? 너무 슬픈 일이에요!"

마릴라는 어색하지만 최대한 부드러운 미소를 지어 보
이며 말했다.

"걱정 마. 오늘 밤 당장 문밖으로 내쫓진 않을 테니까.
네 이름이 뭐니?"

여자 아이는 잠시 머뭇거리더니 간곡하게 부탁했다.

"코델리아라고 불러 주세요."

"코델리아로 불러 달라니? 그게 네 이름이니?"

"아뇨. 그래도 코델리아라고 불러 주셨으면 좋겠어요."

"이해가 되지 않는구나. 진짜 이름을 말해 주렴."

"앤 셜리요."

여자 아이는 마지못해 더듬거리며 말했다.

"하지만 코델리아라고 불러 주세요. 어차피 잠깐 있을 텐데 어떻게 부르든 중요하지 않잖아요. 앤은 너무 멋없는 이름이에요."

하지만 마릴라는 냉정하게 말했다.

"당치 않아. 앤이란 이름은 아주 분별 있는 이름이야. 전혀 부끄러워할 것 없다."

"저는 다만 코델리아가 더 좋을 뿐이에요. 그래도 앤이라고 부르겠다면 제발 끝에 이(e)가 있는 앤(Anne)으로 불러 주세요."

"그러면 뭐가 달라지니?"

"e가 붙은 앤은 품위_{品位} 있어 보이잖아요."

"알겠다. 그나저나 이 오해가 어떻게 생긴 건지 말해 주겠니? 고아원에 남자 아이가 없었니?"

"아니요, 많이 있어요. 스펜서 부인은 분명히 열 살쯤

품위(品位) : 사람이 갖추어야 할 위엄이나 기품.

된 여자 아이를 원한다고 말했어요. 그래서 원장 선생님
도 제가 좋겠다고 했고요."

앤은 매슈를 돌아보며 원망 섞인 목소리로 말했다.

"왜 사실을 말하고 떠나지 않은 거죠?
환희의 하얀 길과 반짝이는 호수를 보지 않
았더라면 이렇게 힘들진 않았을 거예요."

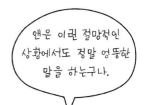

앤은 이런 절망적인
상황에서도 정말 엉뚱한
말을 하는구나.

마릴라가 매슈를 쳐다봤다.

"저 애가 도대체 무슨 소리를 하는 거죠?"

당황한 매슈가 허겁지겁 설명을 했다.

"집까지 오면서 나와 한 얘기를 하는 거야.
나는 마구간에 말을 넣고 올게."

매슈가 돌아오자 다들 식탁에 둘러앉아
저녁을 먹었다. 앤은 음식을 먹을 수 없었
다. 버터를 바른 빵을 씹고 사과 통조림을 먹어 보았지만
맛이 전혀 느껴지지 않았다. 마릴라는 앤을 한참 바라보
더니 말했다.

"뭐라도 먹지 그러니?"

앤은 한숨을 푹 내쉬며 말했다.

"음식은 맛있지만 못 먹겠어요. 저는 지금 절망絶望의 늪에 빠져 있거든요."

"난 절망의 늪에 빠져 본 적이 없어서 잘 모르겠구나."

"상상을 해 본 적도 없나요?"

"그래."

"그럼 지금 제 기분을 전혀 이해하지 못하시겠군요. 목구멍으로 뭔가 잔뜩 올라와 아무것도 삼킬 수 없어요."

줄곧 말이 없던 매슈가 입을 뗐다.

"앤이 피곤한 것 같구나, 마릴라. 일단은 아이를 재우는 게 좋겠다."

마릴라는 앤을 어디에 재워야 할지 고민했다. 남자 아이를 위해 부엌방에 마련해 둔 잠자리는 여자 아이가 잘 만한 곳은 아니었기 때문이다. 손님 방을 내줄 수도 없었고 남은 방은 동쪽 방뿐이었다.

절망(絶望) : 바라볼 것이 없게 되어 모든 희망을 끊어 버림. 또는 그런 상태.

마릴라는 촛불을 들고 동쪽 방으로 올라갔다. 앤은 모자와 여행 가방을 들고 힘없이 마릴라를 따라갔다.

"잠옷은 챙겨 왔니?"

앤이 힘없이 고개를 끄덕였다.

"고아원 원장님이 만들어 준 몸에 꼭 끼는 잠옷이 두 벌 있어요. 하지만 그런 옷을 입든 레이스 달린 아름다운 잠옷을 입든 누구나 달콤한 꿈을 꿀 수 있어요."

고아든, 부자든, 가난한 사람이든 차별 없이 누구나 달콤한 꿈을 꿀 수 있어.

"자, 냉큼 옷을 갈아입고 침대에 들어가거라. 이따가 촛불을 가지러 오겠다."

마릴라가 나가자 앤은 아쉬운 눈길로 주위를 둘러보았다. 벽에는 장식이 하나도 없어서 텅 비어 보였다. 바닥 역시 둥근 매트만 깔려 있을 뿐 아무것도 없었다. 한구석에는 시커먼 구식 침대가 놓여 있었다.

앤은 흐느끼면서 아무렇게나 옷을 벗어 던지고 초라한

잠옷으로 갈아입었다. 그리고 침대에 엎드려 베개에 얼굴을 파묻고 이불을 머리끝까지 올렸다. 촛불을 가지러 온 마릴라는 앤의 옷을 집어 의자 위에 단정하게 올려놓고 최대한 자상하게 말했다.

"잘 자렴."

그러자 앤이 이불 밖으로 얼굴을 내밀었다.

"큰 슬픔에 빠져 있는데 어떻게 잘 자겠어요?"

앤이 이불을 다시 머리끝까지 올렸다. 마릴라는 한숨을 내쉬며 부엌으로 내려와 설거지를 마저 했다. 매슈는 담배를 피우고 있었다. 마음의 동요가 크다는 뜻이었다. 마릴라가 담배 피우는 것을 싫어해서 매슈는 담배에 거의 손을 대지 않았다. 마릴라가 곤란한 듯 말했다.

"이거 야단났네요. 내일 스펜서 부인을 만나 앤을 고아원으로 다시 돌려보내야겠어요."

그러자 매슈가 뜻밖의 말을 했다.

"그, 그래야겠지. 하지만…… 우리가 앤에게 잘해 줄 수 있지 않을까?"

매슈 아저씨는 이미 사랑스러운 앤에게 마음을 빼앗기고 말았구나.

"네? 이런, 저 애가 오빠를 완전히 홀려 놓았군요!"

"정말 재미있는 아이야. 너도 앤이 역에서 오면서 하는 얘기를 들었어야 해."

"말은 진짜 빨리하더군요. 그게 장점은 아니죠. 난 여자 아이는 바라지 않을 뿐더러 더욱이 앤은 내가 키우고 싶은 아이가 아니에요."

"날 도와줄 남자 아이를 고용할게. 앤은 너의 말벗이 되어 줄 거야."

"말벗이 필요하지는 않아요."

마릴라가 퉁명스럽게 대꾸했다.

"어쩔 수 없지. 그럼 네 생각대로 해."

매슈는 침실로 갔다. 마릴라도 설거지를 끝낸 뒤 굳은 결심決心을 하고 자러 들어갔다.

결심(決心) : 할 일에 대하여 어떻게 하기로 마음을 굳게 정함.

2장
초록 지붕 집

　잠에서 깬 앤은 단숨에 방을 가로질러 창문을 들어올렸다. 창이 빡빡한 걸 보니 오랫동안 열지 않은 모양이었다. 앤은 무릎을 꿇고 밖을 내다보았다. 정원 아래로 시냇물이 졸졸 흐르고 골짜기에는 하얀 자작나무들이 빽빽하게 들어서 있었다. 게다가 클로버로 뒤덮인 풀밭도 있었다. 그런데 여기서 살 수 없다니! 그때 누군가가 앤의 어깨에 손을 얹었다. 마릴라였다.

　"일어났으면 옷을 갈아입어야지."

　마릴라는 아이들을 어떻게 대해야 하는지 몰라서 마음과 달리 무뚝뚝하게 말이 튀어나왔다. 앤은 일어나서 한숨을 내쉬며 바깥을 향해 손을 흔들었다.

"초록 지붕 집 근처에 시내가 있어서 정말 좋아요. 어
차피 여기서 살지 않을 텐데 무슨 소용이냐고 할지 모르
겠지만 그렇지 않아요. 초록 지붕 집에 시내가 있었다는
사실을 기억記憶할 테니까요. 저는 조금 전
까지 여기서 영원히 살 거라는 상상을
하고 있었어요. 상상의 나쁜 점은 상상
을 그만둘 때 마음이 아프다는 거죠."

앤은 정말 낙천적인
아이야. 앤이 슬픈 일들을
잘 이겨 낼 수 있었던 것도
다 그런 성격 때문이야.

마릴라는 기회를 엿보다 얼른 말했다.

"어서 세수하고 머리를 빗어라. 창문은 열
어 두고 침대를 정리하렴."

앤은 옷을 단정히 입은 다음 머리를 땋고
세수를 했다. 하지만 침대보를 정리하는 걸 깜빡
하고 아래층으로 내려갔다. 앤은 자리에 앉으며 말했다.

"아침은 정말 재미있어요. 하루 동안 어떤 일이 일어날

기억(記憶) : 이전의 인상이나 경험을 의식 속에 간직하거나 도로 생각해 냄.

지 모르고, 상상할 거리도 많거든요. 오늘 아침에는 비가 오지 않아서 좋아요. 맑은 날에는 기분도 밝아지고 고통을 참기도 쉽거든요."

"제발 입 좀 다물고 식사를 하렴. 웬 말이 그리 많니?"

앤은 잠깐 동안 조용히 식사를 하는가 싶더니 이내 멍하니 창밖을 바라봤다. 마릴라는 문득 엉뚱한 상상을 펼치는 이 아이를 어떤 사람이 데리고 있으려고 할지 궁금해졌다. 아침을 다 먹자 앤은 설거지를 돕겠다고 했다. 마릴라는 미덥지 않은 눈치로 물었다.

"정말 할 수 있겠니?"

"네. 하지만 저는 설거지보다 아기들을 더 잘 돌본답니다. 여기는 아기가 없어서 서운하지만요."

"아이는 더 이상 싫다. 네가 어떤 아이인지 모르겠구나. 매슈 오빠도 정말 못 말리는 사람이라니깐."

앤은 입술을 삐죽거리며 말했다.

"저는 아저씨가 좋아요. 아저씨는 제가 말을 많이 해도 싫어하지 않았어요. 저는 아저씨를 보자마자 마음이 맞을 거라고 생각했어요."

"둘 다 특이해서 그렇지. 자, 설거지를 해 보렴. 난 할 일이 많아. 오후에 화이트샌즈로 가서 스펜서 부인도 만나야 하니까."

마릴라는 앤이 설거지를 깔끔하게 잘한다는 사실을 알았다. 앤이 설거지를 마치자 마릴라는 앤에게 바깥에 나가서 점심때까지 놀다 오라고 했다. 앤은 신이 나서 달려 나가다 현관 앞에서 멈칫하고는 이내 되돌아왔다. 마릴라가 의아해하며 물었다.

"왜 그러니?"

"밖에 나가면 나무와 꽃, 시냇물을 사랑하지 않을 수 없을 거예요. 더 힘들어지고 싶지 않아요. 다들 저를 부를 거예요. '앤, 우리랑 친구하자.' 하고 말이에요. 하지만 곧 헤어질 텐데 무슨 소용이 있겠어요? 창턱에 있는 저 제라늄의 이름은 뭐죠?"

"사과향 제라늄이다."

"그것 말고 아주머니가 지어 준 이름 말이에요. 혹시

남아프리카가 원산지인 제라늄은 관상용 화분으로 많이 재배하는 식물이란다.

이름이 없다면 제가 지어 줘도 될까요? 여기 있는 동안 제라늄을 '보니'라고 부르고 싶어요."

"제라늄에 이름을 지어 주는 게 무슨 의미가 있니?"

"제라늄이라고 해도 이름을 갖고 있는 게 좋아요. 제 침실 밖에 있는 벚꽃나무에도 '눈의 여왕'이라는 이름을 지어 주었어요."

마릴라는 감자를 지하 저장실로 옮기며 중얼거렸다.

"오빠 말처럼 정말 재밌는 아이야."

마릴라는 매슈에게 오후에 마차와 노새를 쓰겠다고 했다. 매슈는 앤에게 애처로운 눈길을 보내며 고개를 끄덕였다. 마릴라와 앤이 떠날 채비를 마치자, 매슈는 마당의 문을 열어 주며 나지막이 중얼거렸다.

"제리 부트라는 남자 아이가 왔다 갔다. 여름 동안 우리 일을 도와주라고 부탁해 놨어."

하지만 마릴라는 못 들은 척 채찍으로 노새의 등을 내리쳤다. 매슈는 멀어지는 마차를 애처롭게 바라보며 꽤 오랫동안 문에 기대서 있었다.

마차를 타고 가며 앤이 씩씩하게 말했다.

"즐겁게 마차를 타고 가기로 결심했어요. 고아원으로 돌아간다는 생각은 하지 않으려고요. 어머, 저기 좀 보세요. 벌써 분홍색 들장미가 피었어요! 저는 분홍색을 좋아해요. 하지만 머리카락이 빨간 사람은 분홍색 옷을 입을 수가 없어요. 혹시 어렸을 때는 빨간 머리였는데 커서는 다른 색으로 변한 사람을 모르나요?"

"그런 얘기는 한 번도 들어 본 적이 없어. 네 경우도 다를 것 같진 않구나."

마릴라가 냉정하게 대꾸했지만 앤은 굴하지 않았다.

"그래요? 희망希望이 또 하나 사라졌군요. 오늘도 반짝이는 호수를 건너나요?"

희망(希望) : 앞일에 대하여 어떤 기대를 가지고 바람.

"반짝이는 호수가 배리 호수를 말하는 거라면 지나가지 않을 거다. 해변 도로를 따라 갈 거야."

그러자 앤이 꿈을 꾸듯 다시 이야기를 시작했다.

"해변 도로도 정말 멋질 것 같아요. 저는 화이트샌즈보다 에이번리라는 이름이 더 좋아요. 꼭 음악 소리 같거든요. 화이트샌즈는 얼마나 더 가야 하나요?"

"8킬로미터쯤 가야 해. 그렇게 얘기가 하고 싶다면 이제 네 얘기를 해 보렴."

앤은 진지하게 이야기를 시작했다.

노바스코샤 주는 캐나다 동부 대서양 연안에 있는 주란다.

"저는 노바스코샤 주의 볼링브로크에서 태어났어요. 아빠 이름은 월터 셜리고 고등학교 선생님이었죠. 엄마 이름은 버서 셜리고요. 엄마도 고등학교 선생님이었는데 아빠랑 결혼한 뒤 일을 그만뒀대요. 토머스 아주머니는 저처럼 못생긴 아기는 처음이라 깜짝 놀랐대요. 어찌나 마르고 앙상했는지 눈밖에 보이지 않았다나요. 제가 태어난 지 석 달 만에 엄마는 하늘나라로 떠났어요. 아빠도 나흘 뒤 열병으로 돌아가셨고요."

"쯧쯧, 어린 나이에 가여운 신세가 되고 말았구나."

"토머스 아주머니가 고아가 된 저를 잠시 키워 주셨어요. 토머스 아저씨는 술주정뱅이였지요. 아주머니가 볼링브로크에서 메리즈빌로 이사한 뒤 거기서 여덟 살까지 살았어요. 저는 토머스 아주머니네 아이들을 돌봐 주었어요. 저보다 어린 아이가 네 명이 있었는데 할 일이 너무 많았지요. 그런데 어느 날 토머스 아저씨가 기차에서 떨어져 돌아가셨어요. 형편形便이 어려워지자 저는 강 상류에 사는 해먼드 아주머니네 집으로 갔어요. 여덟 명이나 되는 아이들을 돌봤는데 쌍둥이가 세 쌍이나 있어서 얼마나 힘들었는지 몰라요. 2년 뒤 해먼드 아저씨가 죽자 저는 고아원에 보내졌고, 그곳에서 스펜서 부인이 올 때까지 넉 달 동안 살았어요."

형편(形便) : 살림살이의 형세.

앤은 토머스 아주머니와 해먼드 아주머니가 잘해 줬냐는 마릴라의 물음에 얼굴이 빨개졌다.

밝고 명랑한 앤이 이렇게 힘든 시간들을 보냈다니 정말 믿어지지 않아.

"그분들은 걱정거리가 많았어요. 술주정뱅이 남편과 살기도 힘들었을 테고 세 쌍둥이를 낳는 것도 보통 일은 아니었을 거예요. 하지만 저한테 잘해 주기 위해 무척 노력努力하셨어요."

앤은 해변 도로를 구경하느라 금세 넋을 잃었고, 마릴라는 깊은 생각에 잠겼다. 앤이 고아원에 다시 돌아가야 한다는 건 정말 안된 일이었다. 그때 앤이 멀리 보이는 큰 집을 가리키며 물었다.

"저곳은 어디예요?"

"커크 씨가 운영하는 화이트샌즈 호텔이란다."

앤이 슬픔에 잠긴 목소리로 말했다.

노력(努力) : 목적을 이루기 위하여 몸과 마음을 다하여 애를 씀.

"스펜서 부인의 집일까 봐 걱정했어요. 어쩐지 그곳에 도착하고 싶지 않아요. 모든 것이 끝날 것 같거든요."

잠시 뒤 마차는 스펜서 부인의 노란 집 앞에 도착했다. 스펜서 부인은 놀란 얼굴로 마릴라와 앤을 맞이했다.

"정말 반가워요. 앤도 잘 있었니?"

"덕분에 잘 있었어요."

앤은 어두운 표정으로 대답했다. 마릴라가 헛기침을 하며 말을 꺼냈다.

"스펜서 부인, 실수가 생긴 것 같아요. 저희는 고아원에서 열 살 정도의 남자 아이를 데려다 달라고 했어요."

그러자 스펜서 부인은 몹시 당황했다.

"로버트는 자기 딸 낸시를 시켜 두 분이 여자 아이를 원한다고 했어요. 유감스러운 일이네요. 다행히 앤을 고아원에 돌려보낼 필요는 없을 것 같아요. 마침 피터 블루엣 부인이 집안일을 도와줄 여자 아이를 부탁했거든요."

마릴라는 앤을 보낼 좋은 기회였지만 마음이 불편했다. 블루엣 부인은 잔소리가 심한 여자였기 때문이다. 게다가

지독하게 일을 시키는 사람이라는 이야기를 들었다.

"아, 블루엣 부인이 저기 오는군요!"

스펜서 부인이 블루엣 부인에게 자초지종을 설명했다. 블루엣 부인은 앤을 훑어보더니 다그치듯 물었다.

"이름은 뭐고, 나이는 몇 살이지?"

앤은 완전히 움츠러들어 대답했다.

"앤 셜리예요. 열한 살이고요."

"삐삐 말랐지만 강단剛斷은 있어 보이는군요. 우리 집 아기가 어찌나 까다로운지 정말 지쳤다니까요. 당장 이 아이를 집에 데려가겠어요."

마릴라는 앤의 창백해진 얼굴을 보았다. 그리고 감수성이 예민한 앤을 저런 무지막지한 여자한테는 보낼 수 없다고 생각했다.

"블루엣 부인, 저희가 이 아이를 데리고 있지 않겠다는 게 아니에요. 어째서 이런 실수가 생겼는지 알아보기 위

강단(剛斷) : 굳세고 꿋꿋하게 견디어 내는 힘.

해서 온 것뿐이랍니다. 집에 돌아가서
오빠와 상의를 한 뒤 앤을 데리고 있
지 않기로 결정하면 내일 밤까지 부인
에게 보내겠어요."

휴, 마릴라가 앤을
그대로 블루엣 부인에게
보내지 않아 다행이야.

마릴라의 말에 블루엣 부인은 탐탁지 않은
표정을 지었다. 앤은 스펜서 부인과 블루엣 부
인이 방을 비운 사이 상기된 얼굴로 마릴라에게
다가가 물었다.

"제가 초록 지붕 집에서 살지도 모른다고 한 말이
사실인가요? 제 상상은 아니겠죠?"

앤의 질문에 마릴라는 일부러 차갑게 말했다.

"아직 결정된 건 아니야. 너를 내일 블루엣 부인에게
보낼지도 몰라. 나보다 일손이 더 필요하니까 말이다."

앤은 금방이라도 울음을 터뜨릴 것 같았다.

"그렇다면 차라리 고아원으로 돌아가겠어요. 그 아주
머니는 송곳처럼 생겼다고요. 저를 데리고만 있어 준다면
뭐든 시키는 대로 할게요."

마릴라는 억지로 웃음을 참으며 엄하게 말했다.

"잘 알지도 못하면서 어른에 대해 그렇게 얘기하면 안 돼. 얼른 집에 가자. 이러다 저녁 식사 시간을 놓치겠어."

두 사람은 저녁 시간에 맞추어 초록 지붕 집에 돌아왔다. 마릴라는 매슈에게 그간 앤이 자란 이야기와 스펜서 부인을 만난 일에 대해 들려주었다. 매슈는 여느 때와 다르게 힘 있는 목소리로 말했다.

"블루엣 부인에겐 내가 키우던 개도 주지 않을 거야."

마릴라도 고개를 끄덕였다.

"나 역시도 그래요. 오빠가 그 아이를 데리고 있고 싶어 하고, 나도 왠지 그래야 할 것만 같아요. 아이를 키워 본 적은 없지만 최선最善을 다해서 가르치겠어요."

"그래, 네 마음대로 하렴. 하지만 버릇이 나빠지지 않을 만큼만 그 아이를 사랑하고 다정하게 대해 주렴."

매슈가 미소를 지었다. 마릴라는 젖소 우리로 나가 크

최선(最善) : 온 정성과 힘.

림 분리기에 우유를 부으며 곰곰이 생각했다.

'오늘 밤에는 이곳에서 지내게 됐다는 얘기를 하지 말아야지. 신이 나서 잠도 못 잘 테니까.'

마릴라는 다음 날 오전까지 앤에게 여러 가지 일을 시켰다. 앤은 총명해서 무슨 일이든 쉽게 배웠다. 하지만 자주 몽상에 빠지곤 해서 꾸지람을 듣거나 사고를 치고 나서야 정신을 차렸다. 점심 식사 후 설거지를 끝낸 앤이 가냘픈 몸을 떨면서 두 손을 모으고 마릴라에게 물었다.

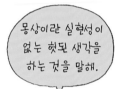

몽상이란 실현성이 없는 헛된 생각을 하는 것을 말해.

"아주머니, 저를 돌려보낼 건지 아닌지 말씀해 주세요. 더 이상은 못 참겠어요."

마릴라는 앤을 꾸짖듯 말했다.

"행주를 소독하고 와서 다시 물어라."

앤은 행주를 깨끗하게 삶았다. 그리고 마릴라를 애처롭게 쳐다봤다. 드디어 마릴라가 말문을 열었다.

"우리는 너를 데리고 있기로 했다. 네가 착한 아이가

되겠다고 약속한다면 말이다."

말이 떨어지자마자 앤은 기쁨의 눈물을 흘렸다.

"저는 정말 행복幸福해요. 그런데 왜 자꾸 눈물이 나오는 거죠? 아주머니를 뭐라고 부를까요? 커스버트 아주머니? 아니면 마릴라 숙모님이라고 부를까요?"

"마릴라 아주머니라고 부르렴. 다른 호칭은 영 거북해. 그리고 난 네 숙모가 아니잖니?"

"아주머니가 제 숙모라고 상상할 수도 있잖아요."

하지만 마릴라는 딱 잘라 말했다.

"난 상상할 수 없다."

그러자 앤이 눈을 동그랗고 뜨고 물었다.

"상상을 해 본 적이 없나요?"

"난 상상하는 걸 좋아하지 않아. 거실 벽난로 위에 있는 그림 카드를 가지고 오너라. 거기에 주기도문이 씌어 있을 거야. 오후에 주기도문을 외우도록 해."

행복(幸福) : 생활에서 충분한 만족과 기쁨을 느끼어 흐뭇한 상태.

"네, 주기도문 외우기는 틀림없이 재미 있을 거예요."

앤은 열심히 카드를 읽다 말고 다시 수다를 떨었다.

"주기도문은 아름다워요. '하늘에 계신 우리 아버지, 이름이 거룩히 여김을 받으시오며.' 이건 시 같아요."

마릴라는 신경질적인 목소리로 다그쳤다.

"그만 떠들고 어서 외우기나 하렴."

잠시 후 앤은 마릴라에게 다시 질문을 퍼부었다.

"마릴라 아주머니, 다이애나는 어떤 아이인가요? 매슈 아저씨가 제 또래라고 하던데, 친구가 될 수 있을까요?"

"다이애나는 아주 착하단다. 지금은 친척 집에 가 있어. 배리 부인은 엄격해서 착한 아이가 아니면 같이 못 놀게 할 테니까 예의 바르게 행동해야 해."

앤은 호기심이 가득한 눈빛으로 물었다.

"다이애나가 빨간 머리는 아니죠? 소중한 친구가 빨간

머리라면 참을 수 없을 것 같아요."

그 말에 마릴라는 살짝 웃었다.

"다이애나의 머리와 눈동자는 까맣단다. 영리하고 참 단정한 아이지. 하지만 사람은 외모外貌보다 마음이 더 중요해. 그리고 얘기는 그만 해라. 넌 들어 줄 사람만 있으면 도저히 말을 못 참는구나. 차라리 네 방으로 올라가서 공부하렴."

앤은 동쪽 방으로 올라갔다. 그리고 거울 앞으로 뛰어갔다. 거울 속에는 주근깨투성이 얼굴과 잿빛 눈동자를 가진 소녀가 있었다.

"넌 초록 지붕 집의 앤이야. 코델리아 아가씨라고 상상할 때마다 널 보게 되겠지? 하지만 집 없는 앤보다 초록 지붕 집의 앤이 몇백 배 좋아."

앤은 거울 속의 앤에게 다정하게 키스했다.

앤이 초록 지붕 집에 온 지 2주일이 지나서야 린드 부

외모(外貌): 겉으로 드러나 보이는 모양.

인이 찾아왔다. 독감에 걸려 이제야 앤을 보러 온 것이었다. 앤은 마릴라에게 허락許諾을 받고 30분 동안 시냇물과 다리, 전나무 숲, 벚나무, 샛길을 탐험했다.

린드 부인은 마릴라에게 궁금한 것을 모두 쏟아 냈다.

"왜 그 아이를 고아원으로 돌려보내지 않았나요?"

"매슈 오빠가 마음에 들어 했거든요. 솔직히 나도 좋았고요. 명랑한 그 애 덕분에 집안 분위기가 달라졌어요."

린드 부인은 걱정스러운 표정으로 혀를 끌끌 찼다.

"그 아이가 자라 온 환경이랑 성품도 모르면서 아이를 키운다는 것은 정말 위험한 일이에요. 당신들이 엄청난 짐을 떠맡은 거라고요."

마릴라는 태연하게 대꾸했다.

"걱정하지 않아요. 앞으로 어떻게 가르치느냐가 더 중요하니까요."

그때 앤이 집으로 들어왔다. 짤막한 치마 아래 가느다

허락(許諾) : 청하는 일을 하도록 들어줌.

란 다리가 보기 흉할 정도로 길어 보였고, 주근깨는 더 두
드러졌으며, 모자를 쓰지 않아 바람에 흐트러진 빨간 머
리는 더욱 짙어 보였다. 린드 부인은 자신의 생각을 거침
없이 늘어놓았다.

"지독한 말라깽이인 데다 얼굴도 못생겼
구나. 머리는 당근같이 빨간 색깔이고."

린드 부인의 무심無心한 말에 화가 난 앤은
발을 세게 구르며 소리를 질렀다.

"난 아주머니가 미워요! 미워, 미워! 어떻
게 저한테 그렇게 말할 수가 있어요?"

앤은 한 마디 한 마디 할 때마다 발을 세게
굴렀다.

"아주머니한테 뚱뚱한 데다 미련해서 상상력이라고는
조금도 없어 보인다고 하면 기분이 좋겠어요? 아주머니
는 예의도 없고 감정도 없는 사람이에요. 술주정뱅이 토

무심(無心) : 감정이나 생각하는 마음이 없음.

머스 아저씨보다 훨씬 더 내 마음을 아프게 했다고요. 나는 절대 아주머니를 용서하지 않을 거예요."

린드 부인도 흥분해서 목소리를 높였다.

"넌 정말 버릇이 없는 아이로구나."

마릴라는 몹시 당황했지만 재빨리 상황을 정리했다.

"앤, 방으로 올라가서 내가 갈 때까지 가만히 있어라!"

앤은 울음을 터뜨리며 계단을 올라갔다. 문이 쾅 닫히는 소리가 났다. 린드 부인은 정신을 가다듬고 물었다.

"저런 아이를 키우겠다고요?"

마릴라는 자신도 모르게 앤의 편을 들었다.

"앤은 그렇게 버릇없지 않아요. 린드 부인이 외모에 대해 이러쿵저러쿵 이야기한 것이 잘못이었어요."

린드 부인은 기가 막히다는 표정을 지었다.

"좋아요. 앞으로 조심하지요. 저 아이 키우느라 힘들겠어요. 충고 한마디 할게요. 당신은 굵은 자작나무 회초리로 저 아이를 혼내야 할 거예요. 마릴라, 당분간 저는 이집에 오지 않을 테니 그렇게 알아요."

린드 부인은 밖으로 휙 나가 버렸다. 마릴라는 마음을 가라앉혔다. 어른에게 화를 낸 것이 잘못이라는 것을 앤이 충분히 깨닫도록 벌을 줘야겠다고 생각했다.

마릴라는 앤의 방으로 올라갔다. 앤은 침대에 엎드려 울고 있었다. 마릴라는 부드러운 목소리로 앤을 불렀다.

"앤, 얘기 좀 하자."

앤은 아무 대답도 하지 않았다. 마릴라는 좀 더 엄하게 말했다.

"당장 일어나지 못하겠니? 조금 전에 네가 린드 부인에게 한 무례無禮한 행동에 대해서 얘기하고 싶구나."

앤이 주춤주춤 일어나 의자에 앉았다. 앤은 통통 부은 얼굴로 바닥만 내려다보았다.

"그 아주머니는 저를 못생긴 데다 빨간 머리라고 놀릴 자격이 없어요."

마릴라는 차분하게 말했다.

무례(無禮) : 태도나 말에 예의가 없음.

"그래. 하지만 너도 화를 내고 버릇없이 행동할 자격은 없어. 린드 부인이 아무리 너더러 빨간 머리에다 못생겼다고 했다고 해도 어떻게 그럴 수 있니? 이제 우리 집은 온 동네 웃음거리가 될 거야. 린드 부인이 네 이야기를 다 퍼뜨리고 다닐 테니까."

앤이 큰 소리로 외쳤다.

"누가 아주머니한테 빼빼 마르고 못생겼다고 이야기했다고 상상해 보세요."

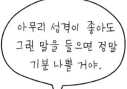

아무리 성격이 좋아도 그런 말을 들으면 정말 기분 나쁠 거야.

마릴라는 어렸을 때 기억이 떠올랐다. 마릴라의 숙모는 다른 사람에게 마릴라를 까맣고 못생긴 꼬마라고 이야기했다. 마릴라는 그 기억을 지우는 데 50년이나 걸렸다. 마릴라는 훨씬 누그러진 목소리로 앤을 달랬다.

"린드 부인이 잘했다는 건 아니야. 그렇다고 네가 한 행동이 옳다고도 할 수 없어. 린드 부인은 나이도 많고 내 손님이잖니? 게다가 너는 오

늘 린드 부인을 처음 만났어. 잘못한 일에 대해서는 벌을 받아야겠지?"

"어떤 벌이라도 받겠지만 린드 부인에게 사과만은 하지 않겠어요."

마릴라는 냉정하게 잘라 말했다.

"넌 반드시 린드 부인에게 사과해야 한다. 그러겠다고 말할 때까지 방에 있도록 해라."

앤은 고개를 푹 숙였다.

"차라리 이 방에 영원히 있겠어요. 아주머니를 곤란하게 만든 건 죄송하지만 린드 부인에게는 전혀 죄송하지 않아요. 상상도 할 수 없는 일이에요."

"초록 지붕 집에 살게 되면 착한 아이가 되겠다고 약속했지? 그런데 오늘 저녁에는 전혀 그런 것 같지 않구나."

마릴라는 괴롭고 착잡한 마음으로 앤의 방을 나섰다. 하지만 당황한 린드 부인의 표정이 떠올라 자꾸만 웃음이 나왔다.

앤은 그날 저녁부터 다음 날 아침까지 식탁에 나타나지

않았다. 마릴라는 매슈에게 어제의 소동에 대해서 이야기 했다. 그러자 매슈가 웃으며 말했다.

"남의 일에 지나치게 참견參見하기 좋아하더니 잘됐군. 하지만 앤이 무례하게 군 건 잘못이니 당연히 벌을 받아야겠지. 너무 나무라지 마라. 앤에게 상대방을 배려하는 방법을 가르쳐 준 사람이 아직 없었을 테니 말이다."

마릴라는 끼니때마다 쟁반에 음식을 담아 앤의 방으로 가져갔다. 하지만 동쪽 방 앞에는 음식이 손도 대지 않은 채로 고스란히 남아 있었다. 매슈는 마릴라가 밖으로 나간 사이 앤이 걱정돼 살금살금 앤의 방을 찾았다.

"앤, 기분이 어떠냐?"

앤은 힘없이 웃었다.

"괜찮아요. 온종일 상상을 하며 보냈거든요."

"사과하고 그만 끝내는 건 어떠냐? 언젠가는

앤의 첫 단식 투쟁이구나. 앤의 고집이 얼마나 센지 볼까?

참견(參見) : 자기와 별로 관계없는 일이나 말 따위에 끼어들어 아는 체함.

해야 할 일이라면 당장 해 버리는 게 좋지 않겠니?"

"아저씨가 부탁하면 할 수 있을 것 같아요. 화가 나고 제 자신이 부끄럽기도 해서 린드 부인에게 사과를 하기 싫었지만 아저씨를 위해서라면 하겠어요. 마릴라 아주머니가 들어오면 잘못을 뉘우쳤다고 말할게요."

"그래, 넌 정말 착한 아이로구나."

매슈는 할 말을 다 마치고 마릴라가 오기 전 재빨리 방목장으로 도망쳤다. 앤은 마릴라가 집으로 돌아오자 계단을 내려가 말했다.

"아주머니, 제가 잘못했어요. 린드 부인에게 사과하겠어요."

마릴라는 애써 덤덤한 척하며 고개를 끄덕였다. 그리고 잠시 뒤 앤을 데리고 린드 부인을 찾아갔다. 앤은 린드 부인 앞에 꿇어앉아 손을 모으고 떨리는 목소리로 말했다.

"오, 린드 아주머니, 제가 잘못했어요. 아주머니에게 정말 못되게 굴었어요. 또 저를 초록 지붕 집에 살게 해 준 매슈 아저씨와 마릴라 아주머니를 망신시켰어요. 저는

정말 은혜도 모르는 아이예요. 아주머니가 했던 말은 모두 사실이에요. 제 머리카락은 빨갛고 얼굴은 주근깨투성이에다 못생겼어요. 제발 저를 용서해 주신다고 말씀해 주세요. 저를 용서해 주지 않는다면 저는 평생 고통 속에 살 거예요."

앤은 고개를 숙이고 린드 부인의 말을 기다렸다. 마릴라는 앤의 과장된 행동을 보고 앤이 이 굴욕屈辱의 시간을 즐기고 있다는 것을 금세 눈치챘다. 하지만 마음이 여린 린드 부인은 화를 누그러뜨렸다.

"일어나라, 애야. 물론 용서해 주고말고. 난 지나치게 솔직한 게 탈이야. 내가 어렸을 적에 학교에 같이 다니던 여자 친구도 너처럼 빨간 머리였는데 커서는 정말 아름다운 다갈색 머리가 됐어. 너도 꼭 그렇게 될 거다."

"오, 린드 아주머니는 제게 희망을 줬어요. 다갈색 머리가 될 수 있다는 생각을 하니 정말 행복한걸요."

굴욕(屈辱) : 남에게 억눌리어 업신여김을 받음.

앤은 린드 부인에게 용서를 받고 활짝 웃었다. 마릴라 역시 린드 부인의 마음이 풀어진 것 같아 기뻤다.

앤은 집으로 돌아가는 길에 마릴라에게 말했다.

"어땠어요? 제법 잘했죠? 이왕 사과를 할 거면 완벽하게 해야 한다고 생각했어요."

마릴라는 방금 전 일을 떠올리며 엄하게 말했다.

"앞으로 이런 사과를 하는 경우가 없도록 조심해라."

"누가 제 외모를 비웃지만 않는다면 가능해요."

마릴라는 앤에게 따뜻한 눈길을 보내며 말했다.

"외모에 너무 신경 쓰지 마라. 마음이 아름다우면 외모도 자연스레 아름다워지는 법이니까."

두 사람은 산들바람을 맞으며 초록 지붕 집 쪽으로 난 샛길을 걸었다.

"돌아올 집이 있어 행복해요. 저는 초록 지붕 집이 좋아요. 진짜 우리 집 같거든요."

앤은 초록 지붕 집을 보며 감격에 겨워 말했다.

마음이 아름다우면 외모도 자연스레 아름다워진다고? 정말 멋진 말이야.

며칠 뒤 마릴라는 앤에게 배리 씨네 딸 다이애나가 친척 집에서 돌아왔다며 가서 만나 보자고 했다. 앤은 그릇을 닦던 행주를 바닥에 떨어뜨리며 말했다.

"다이애나가 저를 싫어할까 봐 걱정이에요. 그렇게 되면 제 생애 가장 실망스러운 일이 될 거예요."

"수선 떨지 마라. 그리고 그런 장황張皇한 말은 쓰지 않았으면 좋겠구나. 다이애나는 널 무척 좋아할 거야. 배리 부인 앞에서는 예의 바르게 행동해야 해. 배리 부인이 널 싫어하면 다이애나가 널 좋아해도 소용없거든."

마릴라와 앤은 전나무 언덕을 지나 비탈에 있는 과수원 집에 다다랐다. 마릴라가 문을 두드리자 배리 부인이 나왔다. 앤이 먼저 얌전하게 인사를 했다.

"안녕하세요, 배리 부인. 저는 앤 셜리라고 해요."

"오, 초록 지붕 집에 왔다는 그 아이로구나. 잘 왔다."

다이애나는 소파에 앉아 책을 읽다가 손님을 맞이했다.

장황(張皇) : 매우 길고 번거로움.

까만 눈과 까만 머리를 가진 예쁜 소녀였다. 배리 부인이
앤에게 다이애나를 소개했다.

"여기는 내 딸 다이애나란다. 다이애나, 앤에게 정원
구경을 시켜 주지 않을래?"

다이애나는 앤의 손을 잡고 정원 여기저기를 구경시켜
주었다. 배리 씨 댁의 정원은 꽃이 만발한 나무가 가득했
다. 버드나무와 단풍나무가 가지런히 줄을 서 있었고, 다
홍색 작약, 하얀 수선화, 자줏빛 사포나리아도 있었다. 앤
은 다이애나에게 속삭였다.

"매슈 아저씨에게 네 얘기를 듣고 기다리고 있었어. 다
이애나, 나의 마음속 친구가 되어 주겠니?"

그러자 다이애나가 웃음을 지어 보였다.

"좋아. 나도 네가 초록 지붕 집에 살게 되어 너무 반가
워. 근처에는 함께 놀 친구가 전혀 없었거든."

"영원의 맹세를 해 주겠니?"

"영원의 맹세라고? 난 어떻게 하는지 몰라."

다이애나의 말에 앤이 근엄하게 말했다.

"그냥 날 따라하면 돼. 해와 달이 없어지지 않는 한 다이애나 배리에게 충성할 것을 맹세합니다. 자, 이번에는 네 차례야."

다이애나는 앤을 따라 맹세를 했다. 그리고 환한 얼굴로 말했다.

"앤, 넌 이상한 아이지만 틀림없이 널 좋아할 것 같아."

앤은 배리 씨 집 정원에서 즐거운 시간을 보냈다. 그리고 초록 지붕 집으로 돌아오는 내내 콧노래를 흥얼거렸다. 마릴라는 앤의 노랫소리에 미소를 띠며 물었다.

"다이애나가 너의 소중한 친구가 될 것 같니?"

앤은 신이 나서 폴짝폴짝 뛰었다.

"벌써 영원의 맹세도 했는걸요. 저는 내일 다이애나와 소꿉놀이 집을 짓기로 했어요. 숲 뒤에 백합이 피어 있는 곳에 데려가 준대요."

마릴라는 앤에게 당부를 했다.

"정말 잘됐구나. 하지만 노는 일에 정신이 팔려 해야 할 일을 잊어서는 안 된다."

3장
앤의 고백

마릴라는 바느질을 하며 시계를 올려다보았다. 어느새 2시가 훌쩍 지났지만 앤은 들어올 생각도 하지 않았다.

"내가 허락한 시간보다 다이애나와 30분이나 더 놀고 오더니, 지금은 매슈 오빠에게 저렇게 종알거리고 있네. 앤, 당장 들어오지 못하겠니?"

마릴라가 서쪽 창문을 두드리자 앤이 즐거운 표정으로 뛰어 들어왔다. 마릴라가 얼굴을 찡그리며 말했다.

"2시에 들어오라고 했잖니? 지금은 3시 15분 전이야. 왜 내 말을 듣지 않았는지 궁금하구나."

앤은 몹시 흥분한 얼굴로 말했다.

"주일 학교에서 소풍을 간대요. 반짝이는 호수 바로 옆에 있는 들판으로 말이에요. 저는 소풍을 한 번도 못 가 봤거든요. 너무 신이 나서 매슈 아저씨에게 이야기를 하다 보니 늦어 버렸어요."

교회에서는 어린 아이들을 모아 교리를 가르치는데, 이런 학교를 주일 학교라고 한단다.

앤이 주저하며 속마음을 고백告白했다.

"하지만 다이애나가 그러는데 대부분 바구니에 먹을 걸 가져온대요. 그런데 저는 요리를 못해서……."

"내가 과자를 구워 주마."

"정말이에요? 아주머니는 저한테 정말 잘해 주세요."

앤은 탄성을 내지르며 마릴라의 뺨에 키스를 했다. 마릴라는 앤에게 갑작스러운 키스를 받아 당황했지만 이상하게 가슴 한쪽이 따뜻해져 오는 걸 느꼈다. 하지만 일부러 더 무뚝뚝하게 말했다.

고백(告白) : 마음속에 생각하고 있는 것이나 감추어 둔 것을 숨김없이 말함.

"오늘 하기로 한 일이나 빨리 해라. 여기 바느질감이 있다. 자, 나를 따라해 보렴."

"바느질은 싫지만 소풍에 관한 상상을 하면서 바느질을 하고 있다는 생각을 지워 버릴래요."

그 주 내내 앤은 소풍 얘기를 했고, 소풍 가는 꿈까지 꿨다. 그리고 혹시나 소풍 가는 수요일에 비가 오면 어쩌나 하고 걱정을 했다.

월요일 오후, 마릴라가 어두운 얼굴로 앤을 불렀다. "앤, 자수정 브로치 못 봤니? 어제 교회에서 돌아와 바늘겨레에 꽂아 놓았는데 도저히 찾을 수가 없구나."

마릴라는 어머니의 유품인 자수정 브로치를 무척 아꼈다. 앤은 부엌 바닥을 닦다가 걸레질을 멈추고 대답했다.

"마릴라 아주머니가 후원회에 갔을 때 얼마나 예쁜지 보려고 제 가슴에 달아 보았어요."

마릴라는 깜짝 놀라서 물었다.

"내 방에 함부로 들어간 것도 모자라서 브로치를 만졌단 말이니? 그래, 브로치를 어디에 두었니?"

"제자리에 두었는걸요."

"아니, 자수정 브로치는 거기 없다. 사실대로 이야기해라. 혹시 밖으로 가지고 나갔다 잃어버렸니?"

마릴라는 앤을 다그쳤다.

자수정이란 자줏빛이 나는 수정을 말해. 색깔이 고와 장식으로 많이 사용하지.

"바늘겨레인지 쟁반인지 확실하게 기억나지 않지만 분명히 원래 있던 곳에 두었어요."

"넌 거짓말을 하고 있어. 네 방에 가서 고백할 마음이 생기거든 내려오너라."

마릴라가 화난 얼굴로 쏘아붙여 말하자 앤은 울먹이며 자기 방으로 올라갔다. 마릴라는 다음 날도 온종일 집 안을 샅샅이 뒤졌지만 브로치는 아무데도 없었다. 매슈가 들일을 마치고 들어오자, 마릴라는 매슈에게 브로치 이야기를 했다. 매슈는 당황한 표정으로 물었다.

"옷장 뒤도 확인해 봤니?"

"네. 앤이 들고 나갔다가 잃어버린 게 틀림없어요."

매슈는 마릴라의 확고(確固)한 말에 아무 말도 할 수 없었다. 그날 밤 마릴라는 앤의 방으로 올라가 말했다.

"앤, 브로치에 대해 사실대로 말하기 전까지 이 방에서 한 발짝도 나올 수 없을 줄 알아라."

그러자 앤이 화들짝 놀라 침대에서 일어나 앉았다.

"내일 소풍을 보내 주기로 약속했잖아요. 소풍만 가게 해 준다면 죽을 때까지 이곳에 있어도 좋아요."

"그러니까 사실대로 말하면 돼."

마릴라는 애원하는 앤을 남겨 둔 채 방문을 닫았다.

수요일 아침이 밝았다. 날씨가 화창해서 소풍 가기 딱 안성맞춤이었다. 마릴라가 아침을 들고 올라가니 앤은 창백한 얼굴로 침대 위에 단정하게 앉아 있었다.

"마릴라 아주머니, 고백하겠어요."

마릴라는 쟁반을 내려놓았다.

"좋아, 어서 얘기해 보려무나."

확고(確固) : 태도나 상황 따위가 튼튼하고 굳음.

앤은 한숨을 쉬더니 말문을 열었다.

"자수정 브로치를 옷에 꽂고 다이애나를 만나 자랑을 했어요. 자수정 브로치는 정말 아름다웠거든요. 반짝이는 호수를 건너다 브로치를 자세히 보고 싶어서 옷에서 뺐는데 그만 브로치가 손에서 미끄러졌지 뭐예요. 브로치는 반짝이는 호수 바닥에 서서히 가라앉고 말았어요."

마릴라는 태연하게 얘기하는 앤을 보고 화가 치밀었다.

"앤, 넌 내 소중한 브로치를 잃어버렸는데도 뉘우치는 기색氣色이 없구나. 그 벌로 넌 오늘 소풍에 갈 수 없다!"

그러자 앤이 울먹이며 마릴라에게 매달렸다.

"사실을 말하면 소풍을 보내 준다고 했잖아요. 제발 소풍만은 보내 주세요. 그 뒤에 어떤 벌이라도 받을게요."

마릴라는 앤의 손을 쌀쌀맞게 뿌리쳤다.

"더 이상 너에게 아무 말도 듣고 싶지 않구나."

마릴라는 동쪽 방을 내려와 설거지를 마치고 집안일을

기색(氣色) : 마음의 작용으로 얼굴에 드러나는 빛.

했다. 그러다 문득 월요일 봉사회에서 돌아와 검은 레이스 숄을 벗다가 조금 해진 곳을 봤던 게 생각났다. 마릴라는 바느질을 하기 위해 트렁크 안에 있는 숄을 꺼냈다.

그런데 숄을 꺼내자마자 창으로 들어오는 햇빛에 뭔가가 반짝였다. 찢어진 숄의 레이스에 자수정 브로치가 매달려 있었던 것이다.

"앤이 잃어버렸다고 했는데 브로치가 왜 여기에 있지? 그래, 맞아. 숄을 벗어 옷장 위에 두었지."

마릴라는 앤의 방으로 올라갔다. 앤은 울다 지쳐서 침대에 쓰러져 있었다.

"앤, 방금 내 검정 레이스 숄에 걸려 있는 브로치를 찾았다. 아까 네가 한 이야기는 뭐니?"

앤은 힘없이 고개를 들었다.

"소풍을 가고 싶어서 거짓말을 했던 거예요. 어젯밤 침대에 누워서 계속 연습했어요."

나도 앤의 연기에 깜빡 속아 넘어갔어. 소풍이 그렇게 가고 싶었나?

마릴라는 자기도 모르게 웃음을 터뜨리고 말았다.

"미안하다, 앤. 하지만 자기가 하지 않은 일을 했다고 거짓으로 고백한 것 역시 잘못이야. 네가 날 용서해 준다면 나도 널 용서하마. 어서 소풍 갈 채비를 하렴."

앤은 자리에서 벌떡 일어났지만 이내 시무룩해졌다.

"정말 고마워요. 하지만 이미 늦었어요. 선생님과 애들은 떠났을 거예요."

"이제 겨우 2시인걸. 매슈 오빠에게 소풍 가는 곳까지 데려다 주라고 할게. 당장 세수부터 하렴."

앤은 환호성을 지르며 당장 세면대로 뛰어갔다. 매슈는 마차에 바구니를 싣고 앤을 기다렸다.

그날 저녁 앤은 가장 행복한 표정으로 집에 돌아왔다.

"정말 근사한 시간을 보냈어요. 맛있는 차를 마시고 반짝이는 호수에서 배를 탔어요. 그리고 세상에서 제일 맛있는 아이스크림을 먹었어요."

마릴라도 오늘만큼은 앤의 수다를 즐겁게 들어 주었다.

4장
학교에서 생긴 일

앤이 초록 지붕 집에 온 지 여러 달이 흘렀다. 9월이 되자 앤은 학교에 다니기 시작했다. 앤은 학교를 마음에 들어 했고 친구들과 곧잘 지냈다.

그러던 어느 날, 다이애나가 들떠서 말했다.

"길버트 블라이드가 오늘 학교에 온대. 여름 동안 뉴브런즈윅의 사촌 집에 가 있었는데 토요일에 돌아왔대."

1교시는 라틴 어 수업 시간이었다. 선생님이 프리시 앤드루스에게 라틴 어 읽는 것을 시켰다. 모두 조용히 귀를 기울이고 있을 때 다이애나가 앤에게 속삭였다.

"네 자리에서 통로 쪽으로 두 번째에 앉아 있는 애가

길버트 블라이드야.”

앤은 다이애나가 가리키는 쪽을 보았다. 길버트는 핀으로 앞에 앉은 루비의 땋은 머리를 의자 등받이에 고정시키고 있었다. 루비는 문제를 풀려고 일어나다가 비명悲鳴을 지르며 자리에 주저앉았다. 선생님은 루비를 불러 벌을 주었고, 루비는 그만 울음을 터뜨리고 말았다.

정말 중대한 사건은 오후에 벌어졌다. 선생님이 프리시에게 수학 문제를 설명하는 동안 길버트 블라이드는 앤과 눈을 마주치려고 애를 썼다. 하지만 그 시간 앤은 반짝이는 호수를 내다보며 한껏 상상에 빠져 있었기 때문에 고개 한번 돌리지 않았다. 길버트는 앤의 빨간 머리 끄트머리를 잡아당기며 작은 목소리로 속삭였다.

“홍당무! 홍당무!”

앤은 길버트를 매섭게 노려보았다. 그리고 자

비명(悲鳴) : 일이 매우 위급하거나 몹시 두려움을 느낄 때 지르는 외마디 소리.

리에서 벌떡 일어나 석판으로 길버트의 머리를 내리쳤다.

"바보, 멍청이! 감히 그런 말을 하다니!"

석판은 두 동강 나고 말았다. 선생님이 앤의 어깨를 꽉 누르며 엄한 목소리로 혼을 냈다.

"앤 셜리, 도대체 무슨 짓이냐?"

앤은 굵은 눈물방울만 뚝뚝 떨어뜨릴 뿐 아무 말도 하지 않았다. 그러자 길버트가 용감하게 나서서 말했다.

"제 잘못이에요. 제가 앤을 놀렸거든요."

선생님은 길버트의 말은 들은 척도 하지 않았다.

"아무리 화가 나도 그렇지. 친구의 머리를 석판으로 내리친 행동은 용서 받을 수 없다. 앤 셜리, 복도로 나가라."

앤은 복도로 나가 빨간 머리를 꼿꼿이 들고 있었다. 수업이 끝나고 길버트가 문 앞에서 앤을 기다렸다.

"앤 셜리, 네 머리를 가지고 놀려서 진짜 미안해."

하지만 앤은 경멸輕蔑하는 표정으로 길버트를 무시하고

경멸(輕蔑) : 깔보아 업신여김.

휙 지나갔다. 그러나 불행한 사건은 연이어 일어났다.

가문비나무는 소나뭇과의 상록 침엽수야. 잎은 바늘 모양이고, 6월에 예쁜 꽃이 핀단다.

에이번리 학교 주위에는 가문비나무 숲이 우거져 있었다. 학생들은 점심 시간이 되면 그곳으로 가서 즐거운 시간을 보냈다.

그날도 여느 때처럼 앤과 아이들은 가문비나무 숲으로 놀러 갔다. 수업 종이 치자 아이들이 뛰기 시작했다. 앤은 가장 마지막으로 교실에 도착했다.

"앤 셜리, 수업 시간에 늦지 않도록 주의를 주지 않았니? 그 벌로 길버트의 옆자리에 앉아 수업을 받도록 해라."

앤은 길버트의 옆에 앉아 책상에 팔을 베고 엎드렸다. 분한지 얼굴이 매우 창백해졌다. 앤은 수업이 끝나고 집에 돌아가는 내내 아무 말도 하지 않았다. 앤의 눈치를 살피던 다이애나가 더 이상 못 참겠다는 듯이 물었다.

"앤, 괜찮아?"

앤은 양손으로 주먹을 쥐고 단호하게 말했다.

"앞으로 학교에 가지 않을 거야."

다이애나는 금방이라도 울 것 같았다.

"그게 무슨 소리야! 그럼 나는 어떡하라고!"

집에 돌아온 앤은 마릴라에게 학교에 가지 않겠다고 말했다. 하지만 마릴라는 딱 잘라 이야기했다.

"말도 안 되는 소리 하지 마라!"

"집에서 공부하면 되잖아요. 입도 꾹 다물게요."

마릴라는 그렇게 진지한 표정을 한 앤을 본 적이 없었다. 그래서 앤에게 더 이상 학교에 가라는 말을 하지 않기로 했다. 앤은 집안일을 하며 집에서 공부했고, 오후에는 학교에서 돌아온 다이애나와 만나서 함께 놀았다.

초록 지붕 집에 10월이 찾아왔다. 어느 토요일 아침 마릴라가 앤을 불러 말했다.

"나는 오후에 카모디에서 열리는 후원회에 참석參席하

참석(參席) : 모임이나 회의 따위의 자리에 참여함.

러 갈 거야. 오늘 저녁은 네가 준비해야 할 것 같구나. 다이애나를 불러 차를 대접해도 좋아. 케이크나 쿠키를 먹어도 좋고. 찬장 두 번째 칸에 딸기 주스가 절반쯤 남아 있을 테니까 함께 마시렴."

"아, 드디어 다이애나를 초록 지붕 집에 초대招待하는군요. 마릴라 아주머니, 고마워요."

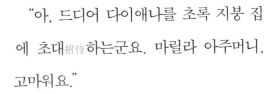

서양에서는 귀부인들이 손님을 불러 차를 대접하는 일이 많아. 앤도 귀부인 흉내를 내고 싶었나 봐.

앤은 당장 다이애나에게 달려가 기쁜 소식을 알렸다. 다이애나도 기분 좋은 초대에 기꺼이 응했다. 마릴라가 떠나자마자 앤은 분주하게 다이애나를 맞을 준비를 했다.

잠시 후 다이애나는 숙녀처럼 근사한 드레스를 입고 초록 지붕 집을 방문했다. 앤도 가장 멋진 옷을 차려입었다. 앤은 다이애나의 손을 잡아끌고 밖으로 나갔다.

초대(招待) : 사람을 불러 대접함.

"과수원에서 사과를 따서 먹자."

앤과 다이애나는 풀밭에 앉아 사과를 먹으며 쉴 새 없이 수다를 떨었다. 다이애나는 학교에서 일어난 얘기를 앤에게 들려주었다. 하지만 앤은 길버트의 이야기가 시작되자마자 딸기 주스를 마시러 들어가자고 했다.

딸기 주스는 찬장 두 번째 칸에 없고 맨 위에 있었다. 앤은 다이애나에게 딸기 주스를 한 잔 부어 주었다. 다이애나는 잔에서 찰랑거리는 붉은 딸기 주스를 한 모금 들이켰다.

"앤, 이렇게 맛있는 딸기 주스는 처음이야."

"마음껏 마셔. 나는 부엌에 가서 얼른 불을 살피고 올게. 집을 보려면 챙길 일이 정말 많아."

앤이 부엌에 갔다 왔을 때 다이애나는 딸기 주스를 무려 세 잔째 마시고 있었다. 다이애나가 숨을 헐떡이며 비틀비틀 자리에서 일어섰다. 앤은 깜짝 놀라 다이애나를 부축했다.

"다이애나, 어디 아파?"

"많이 어지러워. 아무래도 집에 가 봐야 할 것 같아."

앤은 깜짝 놀라 다이애나를 붙잡았다.

"차도 안 마시고 케이크랑 쿠키도 먹지 않았잖아."

다이애나는 혀가 꼬이는지 이상한 발음으로 말했다.

"미안해. 당장 집에 가야겠어."

앤은 다이애나를 졸랐지만 소용없었다. 앤은 다이애나를 과수원 집 마당까지 바래다주었다. 앤은 잔뜩 실망하여 집으로 돌아왔다.

며칠 후, 다이애나를 만나러 갔던 앤이 눈물범벅이 되어 집으로 달려 들어왔다. 마릴라가 깜짝 놀라 물었다.

"앤, 왜 그렇게 서럽게 우는 거니?"

"배리 아주머니가 제게 몹시 화를 내셨어요. 지난번에 다이애나를 집으로 초대했을 때 술에 취하게 했다고요. 이제 두 번 다시는 다이애나와 못 놀게 할 거래요."

"도대체 다이애나에게 뭘 준 거니?"

"딸기 주스요."

마릴라는 서둘러 찬장 문을 열어 보았다. 찬장 속에는

집에서 담근 포도주가 있었다. 마릴라는 그제야 딸기 주스를 지하 저장실에 보관해 둔 생각이 났다.

"다이애나에게 준 건 포도주였어. 맛도 몰랐니?"

"저는 마시지 않았거든요. 저는 정말 주스인 줄 알았어요. 다이애나는 바보처럼 웃기만 하더니 몇 시간이나 곯아떨어졌대요. 다이애나에게 술 냄새가 나서 그제야 취했다는 걸 알았다지 뭐예요."

마릴라가 퉁명스럽게 말했다.

"세 잔씩이나 마신 다이애나에게도 책임責任이 있어. 앤, 그만 울어라. 배리 부인도 이 사실을 알면 이해할 거야. 저녁에 사정을 이야기하고 오는 게 좋겠다."

앤이 한숨을 내쉬었다.

"다이애나의 일로 기분이 언짢아서 저를 만나 주지 않을 거예요. 아주머니가 대신 설명해 주면 안 될까요?"

마릴라도 그러는 편이 낫겠다고 생각하고 배리 부인을

책임(責任) : 어떤 일에 관련되어 그 결과에 대하여 지는 의무나 부담.

만나러 집을 나섰다. 앤은 마릴라가 돌아오는 것을 보고 뛰어나갔다. 하지만 마릴라의 표정이 밝지 않은 것을 보고 상황을 대충 짐작했다.

"배리 아주머니가 저를 용서해 주지 않았군요."

"일부러 그런 게 아니라고 해도 내 말을 도무지 믿지 않더구나."

마릴라는 그렇게 내뱉고는 화가 났는지 부엌으로 횡 들어가 버렸다.

앤은 마음을 굳게 먹고 통나무 다리를 건너 가문비나무 숲으로 올라갔다. 노크 소리를 듣고 배리 부인이 나왔다. 배리 부인은 앤을 냉담한 얼굴로 쳐다봤다.

포도주랑 딸기 주스는 둘 다 붉은색이라서 먹어 보지 않고는 구분하기 힘들지.

"무슨 일이지?"

"배리 아주머니, 용서해 주세요. 맹세코 다이애나를 취하게 할 생각은 없었어요. 저는 정말 딸기 주스인 줄 알았거든요. 부디 다이애나와 놀지 못하게 하겠다는 말씀만은 말아 주세요."

하지만 배리 부인은 차갑게 말했다.

"너는 다이애나의 친구로 어울리지 않아. 네 말은 더 이상 듣고 싶지 않으니 어서 집으로 돌아가거라."

배리 부인은 문을 쾅 닫고 들어가 버렸다. 앤은 절망에 빠져 초록 지붕 집으로 돌아왔다. 그리고 동쪽 방으로 올라가 하염없이 울었다. 마릴라는 앤의 머리를 쓸어 넘겨 주며 말했다.

"가엾은 것."

앤은 학교에 다시 나가겠다고 선언宣言했다.

"학교에 가면 다이애나를 볼 수 있잖아요."

마릴라는 앤에게 당부를 했다.

"학교에 돌아가면 행동을 늘 조심해야 한다. 아이들 머리를 석판으로 내리쳐도 안 돼."

앤은 그러겠노라고 굳게 약속했다.

"모범생이 되도록 노력할게요."

선언(宣言) : 국가나 집단이 자기의 방침, 의견, 주장 등을 외부에 정식으로 알림.

유난히 추운 1월의 어느 겨울, 에이번리 마을 사람들은 샬럿타운에서 열리는 정치 집회에 참석했다. 물론 마릴라와 린드 부인도 집회에 참석하기 위해 집을 나섰다.

그날 밤, 앤은 식탁에서 열심히 공부를 하고 있었고, 매슈는 잡지를 보고 있었다. 문득 생각이 났는지 매슈가 앤을 돌아보며 말했다.

"앤, 상점에서 필립스 선생님을 만났는데 네가 학교에서 가장 총명하다지 뭐냐. 실력도 쑥쑥 늘고 있다지?"

앤은 쑥스러운 듯 책을 보며 이야기했다.

"아니에요. 저는 기하학 때문에 늘 애를 먹는걸요. 아저씨, 지하 저장실에 가서 적갈색 사과를 가져올까요?"

"한번 먹어 볼까?"

매슈는 적갈색 사과를 좋아하지 않지만 앤의 제안을 거절할 수 없었다. 앤은 지하 저장실에서 사과 몇 개를 접시에 담아 올라왔다. 그때 머리에 숄을 뒤집어쓴 다이애나가

기하학은 도형 몇 공간의 성질에 대하여 연구하는 학문이야.

부엌문을 덜컥 열고 들어왔다. 앤이 놀라 소리쳤다.

"다이애나, 이렇게 늦은 시간에 무슨 일이니?"

다이애나는 말을 잇지 못하고 울음을 터뜨렸다.

"앤, 어쩌면 좋지? 미니 메이가 굉장히 아파. 후두염이랬는데, 아빠와 엄마는 시내에 갔고 집에는 의사를 부르러 갈 사람이 아무도 없어. 앤, 너무 무서워."

매슈가 얼른 모자와 외투를 챙겨들었다.

"의사 선생님은 내가 데려오마. 너는 앤과 집에 가서 미니 메이의 상태가 나빠지지 않도록 돌보고 있으렴."

다이애나가 훌쩍거리며 말했다.

"매슈 아저씨가 시내에 나간다고 해도 의사 선생님을 불러오기 힘들 거야. 집회에 참석하러 갔을 테니까."

앤은 서둘러 나갈 채비를 하고 다이애나를 달랬다.

"미니 메이는 괜찮을 거야. 난 후두염에 대해 잘 알아. 해먼드 아주머니의 쌍둥이들이 가끔 후두염을 앓았거든. 걱정하지 마."

앤은 다이애나를 따라 서둘러 집을 나섰다. 높은 열 때

후두염은 목의 후두에
생기는 염증이란다.
목이 쉬고 아프며,
가래가 나오기도 하지.

문에 미니 메이는 몸을 자주 뒤척였다. 유모 역시 경험이 없어 당황해하고 있었다. 앤은 능숙하게 일을 시작했다.

"후두염이 맞아. 유모, 난로에 장작을 더 넣어 주세요."

앤은 미니 메이의 옷을 벗기고 침대에 뉘였다. 그리고 어렵지 않게 미니 메이에게 가래를 토하게 하는 약을 먹였다. 앤과 다이애나는 미니 메이를 정성껏 돌봤다.

동이 틀 무렵에야 매슈가 의사를 데리고 왔다. 매슈는 의사를 찾아 스펜서베일까지 갔다 왔다고 했다. 하지만 미니 메이는 이미 열도 내리고 편안히 잠들어 있었다. 의사가 미니 메이를 진찰診察한 뒤 말했다.

"응급조치를 참 잘했구나. 조금만 늦었어도 생명이 위태로웠을 거야."

진찰(診察) : 의사가 여러 가지 방법으로 환자의 병이나 증상을 살핌.

앤과 다이애나는 그제야 활짝 웃었다. 집으로 돌아온 앤은 지쳐서 해가 높이 떠오를 때까지 푹 잤다.

마릴라는 앤이 자는 동안 집에 돌아와 있었다. 방에서 내려온 앤을 보고 마릴라가 말했다.

"피곤할 텐데 식사부터 하렴. 오빠에게 어젯밤 이야기는 들었다. 네가 어떻게 해야 할지 알고 있어서 정말 다행이었지 뭐니."

마릴라는 앤이 식탁에 앉아 자두 통조림을 먹고 있을 때 기쁜 소식을 전했다.

"배리 부인이 왔다 갔다. 미니 메이의 목숨을 구해 줘서 고맙대. 포도주 사건에 대해 무례하게 굴어서 미안하다며 다이애나와 다시 사이좋게 지내라더구나. 참, 오늘 저녁 식사에도 널 초대했다. 다이애나는 독감에 걸려 꼼짝할 수 없다니까 오후에나 가 보렴."

앤은 꿈만 같아 자리에서 벌떡 일어났다.

"마릴라 아주머니, 지금 당장 가도 될까요?"

"호호, 그래. 오늘 설거지는 안 해도 된다. 앤 셜리! 정신 나갔니? 이리 와서 옷을 걸쳐라."

진심은 언제든
통하게 되어 있어.
배리 부인도 앤의 진심을
알게 될 거야.

앤은 마릴라의 말이 채 끝나기도 전에 대문을 열고 밖으로 뛰어나갔다. 그리고 땅거미가 질 무렵 날개 달린 요정처럼 나풀거리며 집으로 돌아왔다.

"배리 부인은 언제든지 집에 또 놀러 오라고 했어요. 다이애나는 창가에 서서 나에게 계속 키스를 보냈지요. 마릴라 아주머니, 오늘을 기념紀念해서 특별히 새 기도를 생각해야겠어요."

다이애나와 앤은 다시 함께 다닐 수 있게 됐다.

2월의 어느 날 저녁, 앤이 부엌으로 헐레벌떡 뛰어 들어와 마릴라에게 말했다.

"내일이 다이애나의 생일이래요. 배리 아주머니가 학교 끝나고 다이애나와 놀다가 손님 방에서 자고 가도 된

기념(紀念) : 뜻깊은 일이나 훌륭한 인물을 잊지 아니하고 마음에 간직함.

대요. 그리고 뉴브리지에 사는 다이애나의 사촌들이 내일 밤 토론 클럽 발표회에 가는데 저도 데려간대요."

앤의 말을 듣던 마릴라가 엄한 목소리로 말했다.

"잠은 집에 와서 자야 한다. 다이애나의 생일을 축하하는 건 좋지만 남의 집에서 잠을 자는 건 안 돼."

그 말에 앤은 풀이 죽어 쓸쓸히 동쪽 방으로 올라갔다. 의자에 앉아 두 사람의 얘기를 듣던 매슈가 말했다.

"마릴라, 앤을 보내 주렴."

"안 돼요."

마릴라가 어림없다는 듯이 딱 잘라 말했다. 매슈는 느릿느릿 자신의 생각을 말했다.

"내 의견은 앤을 보내 주는 게 좋을 것 같구나."

마릴라는 매슈가 한번 고집을 부리면 누구도 말리지 못한다는 사실을 알았다. 그래서 내키지는 않았지만 허락할 수밖에 없었다. 앤은 그날 아침 너무 흥분해서 학교에서 공부를 제대로 할 수 없었다. 길버트가 철자법과 암산에서 앤을 앞질렀지만 전혀 속상하지 않았다.

학교 수업이 끝나고 발표회에 간 앤은 두고두고 잊지 못할 즐거운 경험을 했다. 그리고 다이애나와 집으로 돌아와 우아하게 차를 마시고 이층 방에서 옷을 갈아입었다. 앤이 다이애나에게 재미있는 제안을 했다.

"누가 더 빨리 침대에 들어가는지 경주할까?"

"좋아, 내가 이길 거야."

앤과 다이애나는 손님 방으로 달려 들어가 침대 위로 펄쩍 뛰어올랐다. 그때 이불 밑에서 외마디 비명이 들렸다. 앤과 다이애나는 깜짝 놀라 침대를 내려와 이층으로 줄행랑을 쳤다. 다이애나가 키득키득 웃으며 말했다.

"아마 조세핀 할머니일 거야. 어떡하지? 할머니가 내일 난리 치겠는걸. 그래도 정말 재밌지 않니?"

"조세핀 할머니가 누구니?"

"아버지의 숙모인데 샬럿타운에 살고 있어. 연세가 일흔 살쯤 되셨을 거야. 할머니가 올 거라는 얘기는 들었지만 이렇게 빨리 올 줄 몰랐어. 할머니는 엄해서 엄청 야단을 치실 거야. 오늘은 미니 메이 방에서 자자."

앤은 조세핀 할머니를 만나면 사과를 하려고 했지만 아침 식사 시간에는 할머니를 볼 수가 없었다. 앤은 아침을 먹고 집으로 돌아왔기 때문에 배리 씨 집에서 일어난 소동에 대해서는 알 수 없었다. 하지만 저녁때 마릴라가 린드 부인 댁에 다녀와서 이후의 일에 대해 말해 주었다.

"조세핀 할머니가 어젯밤 너희들이 저지른 일 때문에 화가 단단히 난 모양이야. 한 달 동안 머무를 예정_{豫定}이었는데 내일 당장 돌아가겠대. 그리고 다이애나의 음악 수업료를 내주겠다고 약속했는데 다이애나 같은 말괄량이한테는 아무것도 해 주지 않겠다고 했다는구나."

앤은 온몸에서 기운이 쭉 빠져나갔다.

'따지고 보면 다 내 잘못이야.'

앤은 배리 씨 집을 다시 찾아갔다. 다이애나가 문을 열자 앤이 귓속말로 조용히 물었다.

"조세핀 할머니가 무지 화났다면서?"

예정(豫定) : 미리 정한 갈 길이나 진행 과정.

"얼마나 야단을 치시던지. 나처럼 행실이 나쁜 애는 처음이라지 뭐야. 할머니는 당장 돌아가겠대."

"나 때문이라고 왜 말하지 않았어?"

"난 고자질쟁이가 아니야. 그리고 나도 똑같이 잘못했는걸."

앤은 직접 조세핀 할머니를 만나겠다고 말했다. 다이애나가 깜짝 놀라 말렸지만 앤의 굳은 의지를 꺾을 수 없었다. 앤은 조세핀 할머니가 있는 방문을 조용히 두드렸다.

"들어와!"

조세핀 할머니의 신경질적인 목소리가 들렸다. 조세핀 할머니는 돋보기안경을 쓰고 책을 읽고 있었는데, 한참 후에야 고개를 들고 앤을 보았다.

"넌 도대체 누구냐?"

앤은 떨리는 마음을 진정시키며 조세핀 할머니의 곁으로 다가갔다.

"저는 초록 지붕 집에 사는 앤 셜리예요. 어젯밤 할머니가 주무시는 침대로 뛰어든 건 모두 제 잘못이에요. 다이애나라면 그런 짓을 생각해 내지도 못했을 거예요. 아주 얌전한 아이거든요."

"다이애나도 같이 뛰어들었잖아. 그런 버릇없는 행동을 하다니!"

앤은 두 손을 마주잡은 채 더욱 진실된 눈빛으로 조세핀 할머니에게 호소(呼訴)했다.

"재미로 그랬을 뿐이에요. 다이애나를 용서해 주시고 음악 레슨을 받게 해 주세요. 뭔가를 하게 될 줄 알고 있다가 못하면 기분이 어떤지 잘 알아요. 차라리 제게 화를 내세요. 저는 사람들이 화내는 것을 많이 당해 봐서 잘 참을 수 있어요."

조세핀 할머니의 매서운 눈빛이 점점 누그러졌다.

"장난으로 그랬다지만 그건 핑계야. 너희는 긴 여행으로 피곤한 나를 일부러 깨웠어."

"그날은 저희가 손님 방에서 자기로 되어 있었기 때문

호소(呼訴) : 억울하거나 딱한 사정을 남에게 하소연함.

에 누가 있을 거라고는 생각도 못 했어요. 할머니 비명에
얼마나 놀랐는지 몰라요. 그래서 손님 방에서 자지도 못
했지요. 할머니가 손님 방에서 한 번도 자지 못한 고아였
다면 어떤 기분이었을지 상상해 보세요."

　앤은 말을 마치고 조용히 조세핀 할머니의 용서를 기다
렸다. 잠시 뒤 조세핀 할머니는 크게 웃음을 터뜨렸다.

　"앤, 넌 참 밝은 아이구나. 너무 오래 쓰지 않아서 내
상상력이 조금 녹슨 것 같구나. 너와 다이애
나를 용서하마. 대신 가끔 나를 찾아와
즐거운 이야기를 들려주렴."

　그날 저녁 조세핀 할머니는 여행 가방을
다시 풀었다.

　"이제껏 앤처럼 날 기쁘게 해 준 사람
은 없었어."

　앤은 약속을 지키기 위해 조세핀 할머니를
자주 찾아갔고 둘은 곧 좋은 친구가 되었다. 조세핀 할머
니는 집으로 돌아가면서 앤에게 말했다.

완고한 조세핀
할머니의 마음까지 사로
잡다니 역시 앤이야.

"시내에 나오면 찾아오너라. 가장 좋은 손님 방에서 자게 해 주마."

12월의 어느 저녁, 매슈는 일을 마치고 돌아와 젖은 부츠를 벗으려고 장작통에 앉았다. 그때 앤과 대여섯 명의 아이들이 재잘거리며 부엌으로 우르르 몰려 들어왔다. 숫기가 없는 매슈는 몸을 움츠리고 아이들이 연극 이야기를 하는 것을 조용히 지켜보았다.

앤은 밝은 얼굴에 초롱초롱한 눈을 가지고 있었고, 다른 아이들과 똑같이 활기찼다. 하지만 어딘지 모르게 다른 아이들과 달라 보이는 게 있었다. 매슈는 아이들이 돌아간 뒤에 두 시간 동안 담배를 피우며 곰곰이 생각해 본 끝에 그 차이를 알아냈다. 문제는 바로 앤의 옷이었다.

'다른 아이들은 다들 밝고 화사한 옷을 입었는데 앤만 차분하고 장식이 없는 옷을 입고 있다니!'

매슈는 그 길로 린드 부인을 찾아갔다. 물론 그 일을 마릴라에게도 말할 수 있었지만 마릴라라면 딱 잘라서 그럴 필요가 없다고 할 것이다. 매슈는 린드 부인에게 사정을 설명했고, 린드 부인은 흔쾌히 그 일을 떠맡아 주었다.

"부인…… 고맙습니다. 저…… 요즘에는 소매 모양이 다르더군요. 귀찮지 않다면 그렇게 만들어 주세요."

"퍼프소매요? 걱정 마세요. 최신 유행으로 만들게요."

매슈는 기뻐하며 집으로 돌아갔다. 마릴라는 린드 부인이 크리스마스이브에 새 옷을 가져오자 매슈가 그동안 왜 슬금슬금 자꾸 웃었는지 알았다. 마릴라는 어이가 없다는 표정을 지었다.

퍼프소매란 어깨 끝이나 소매 끝에 주름을 넣어 약간 부풀게 한 소매란다.

"가을에 앤에게 따뜻하고 실용적인 옷을 세 벌이나 만들어 줬는데 또 옷을 해 주다니 이건 낭비예요. 소매를 만들 천으로 윗도리 하나는 더 만들 수 있어요. 앤의 허영심만 키워 줄 뿐이라고요. 어쨌든 이왕 만들었으니 앤도 마음에 들어 했으면 좋겠군요."

매슈는 마릴라의 핀잔을 신경 쓰지 않았다.

크리스마스 아침, 밤새 내린 눈이 에이번리 마을을 하

얇게 뒤덮었다. 앤은 동쪽 방 창문을 통해 하얀 깃털을 뒤집어 쓴 것처럼 아름다운 전나무를 행복한 얼굴로 바라보았다. 그리고 콧노래를 부르며 아래층으로 내려왔다.

"메리 크리스마스! 초록 지붕 집에서 화이트 크리스마스를 맞게 해 달라고 기도했는데 소원이 이루어졌어요. 어? 매슈 아저씨, 그거 혹시 제 선물이에요?"

매슈는 쑥스러워하며 포장지를 벗겨 드레스를 펼쳐 보였다. 앤은 한동안 아무 말도 하지 않고 드레스를 가만히 들여다봤다. 매슈는 앤의 반응에 당황했다.

"앤, 옷이 마음에 들지 않니?"

그 순간 앤의 눈에 눈물이 그렁그렁 고였다.

"이건 너무 완벽한 옷이에요. 오, 이 소매 좀 보세요. 저는 지금 행복한 꿈을 꾸고 있는 것 같아요"

마릴라가 헛기침을 하며 앤을 진정시켰다.

"이제 맛있는 아침을 먹어야죠. 앤, 나는 오빠가 네게 이렇게 화려한 옷을 선물하는 것이 마음에 들지 않아. 너는 아직 어리고 검소함과 절제를 배울 나이란다. 하지만

앤을 사랑하는 매슈 아저씨의 자상한 마음이 느껴지니?

이왕 선물을 받았으니 소중하게 생각하렴."

"오, 아주머니, 황홀해서 아무것도 먹지 못할 것 같아요. 매슈 아저씨, 정말 고맙습니다. 착한 아이가 되도록 더 노력할게요."

그날 저녁 앤은 학예회에 매슈가 선물한 옷을 입고 갔다. 조그만 강당은 사람들로 가득 찼다. 학생들은 모두 잘했지만 그중 앤이 가장 돋보였다. 앤의 모습을 지켜본 매슈와 마릴라는 몹시 흐뭇해했다.

"마릴라, 앤을 돌본 것을 후회後悔하니? 앤은 많은 것을 잘해 내고 있어."

"앤과 지내길 정말 잘했어요. 앤이 자랑스러워요."

매슈와 마릴라는 무대 위의 앤에게 사랑이 가득 담긴 눈길을 보냈다.

후회(後悔) : 이전의 잘못을 깨치고 뉘우침.

5장
못 말리는 앤

마릴라는 봉사회 모임을 마치고 집으로 오면서 느긋하게 봄의 기운을 즐겼다. 불이 켜진 따뜻한 집으로 돌아간다는 생각에 기분이 한결 좋아졌다.

그러나 마릴라가 초록 지붕 집에 도착했을 때 불은 꺼져 있었고 앤도 보이지 않았다. 앤에게 5시에 차 마실 준비를 해 놓으라고 일러 두었는데 말이다.

"지금까지 약속을 어긴 적은 없었는데……. 앤이 돌아오면 따끔하게 혼을 내야겠어."

날이 어두워지고 저녁 준비가 다 됐는데도 앤은 그때까지도 돌아오지 않았다. 매슈가 걱정하며 말했다.

"아무래도 앤에게 무슨 일이 생긴 게 아닐까?"

마릴라도 앤이 걱정됐지만 내색하지 않고 설거지를 하고 부엌을 정리했다. 마릴라는 지하 저장실에 내려가기 위해 늘 동쪽 방 테이블에 놓았던 초를 가지러 앤의 방으로 올라갔다. 그런데 촛불을 켜자 앤이 베개에 얼굴을 파묻고 있는 게 보였다. 마릴라가 깜짝 놀라며 물었다.

"세상에! 앤, 지금까지 방에 있었던 거니?"

마릴라는 촛불을 앤 쪽으로 비추며 가까이 다가갔다. 그러자 앤이 절망에 가득 찬 목소리로 소리쳤다.

"부탁이에요. 저쪽으로 가 주세요. 저는 지금 절망의 구렁텅이에 빠져 있어요."

"도대체 무슨 문제가 생긴 거니? 당장 일어나 보렴."

앤은 자리에서 일어나 떨리는 목소리로 말했다.

"제 머리를 보세요."

정말 해괴한 모습이었다. 앤의 빨간 머리가 칙칙한 초록색으로 변해 있었던 것이다. 앤이 손으로 얼굴을 가리고 울부짖기 시작했다.

"어떤 색이라도 빨간 머리보다는 나을 거라고 생각했어요. 하지만 초록 머리는 빨간 머리보다 열 배는 더 나쁘다는 걸 이제야 알았어요. 오늘 오후에 찾아온 이탈리아 장사꾼에게 염색약을 샀어요. 제 머리가 칠흑같이 검게 될 거라고 했거든요. 그래서 물을 들였는데 이렇게 끔찍한 색이 됐지 뭐예요."

마릴라가 고개를 저으며 모질게 말했다.

"허영심을 부리면 어떻게 되는지는 잘 알았겠구나."

마릴라는 앤의 머리를 비누로 매일 감겼지만 소용이 없었다. 앤은 아무데도 나가지 않고 날마다 머리를 감았다. 다이애나만 그 비밀을 알고 있었을 뿐이다. 일주일이 지나자 마릴라가 단호하게 말했다.

"안 되겠다. 머리카락을 잘라야겠다."

앤은 괴로웠지만 순순히 고개를 끄덕였다.

"싹둑 잘라 주세요. 이런 비극悲劇이 생기다니!"

비극(悲劇) : 인생의 슬프고 애달픈 일을 당하여 불행한 경우를 이르는 말.

마릴라는 앤의 머리를 초록색이 보이지 않도록 가능한 짧게 잘랐다. 앤은 거울을 보며 말했다.

"거울을 보면서 내가 한 짓을 반성할 거예요. 이제야 내가 허영심을 가지고 있었다는 걸 깨달았어요."

앤의 짧은 머리는 학교에서 굉장한 관심을 불러일으켰다. 짓궂은 남자 아이들은 앤의 머리가 빗자루 같다고 놀렸다. 하지만 다행히 그 이유는 아무도 눈치채지 못했다. 앤은 그날 저녁 마릴라에게 이야기를 털어놓았다.

"놀림도 제가 받는 벌의 일부라고 생각해서 꾹 참았어요. 하지만 쉬운 일은 아니었어요."

그해 여름, 앤은 학교에서 테니슨의 시를 공부했다. 앤은 친구들에게 책에서 읽은 일레인의 이야기를 연극으로 꾸며 보자고 했다.

테니슨은 19세기 영국 시인으로, 아서 왕의 전설을 바탕으로 〈아서 왕의 죽음〉이라는 작품을 썼어.

"책에는 '눈부신 금발이 강물을 따라 흘러갔다'라고 했지? 그 연기를 하려면 배리 호수가 안성맞춤이야."

앤과 친구들은 우르르 배리 호수로 달려갔

다. 그런데 누가 일레인 역을 하느냐가 문제였다. 아이들은 혼자 배를 타고 죽은 척하며 떠내려가는 걸 내키지 않아 했다. 그러자 다이애나가 앤을 보며 말했다.

"앤, 나는 네가 일레인 역할을 하는 게 좋을 것 같아. 너는 백합 공주 일레인처럼 피부가 하얗잖아."

하지만 앤은 시큰둥하게 대답했다.

"빨간 머리는 백합 공주가 될 수 없어."

그러자 다이애나가 앤의 머리카락을 햇빛에 비춰 보며 말했다.

일레인은 원탁의 기사인 랜슬롯을 짝사랑한 금발의 아가씨였어. 랜슬롯이 떠난 뒤 자신의 시신을 강물에 띄워 달라고 했대.

"아니야, 네 머리카락은 전보다 훨씬 짙어졌어. 지금은 짙은 적갈색인걸."

"정말? 내 머리카락을 적갈색이라고 해도 될까?"

"그럼! 그리고 정말 예뻐."

다이애나의 말에 앤은 기분이 한결 좋아졌다.

"좋아, 내가 일레인 역을 맡을게."

아이들은 일레인이 죽은 장면부터 연습을 하기로 했다.

앤은 검은 숄을 작은 배 위에 깔고 눈을 감고 누웠다. 아이들은 앤의 몸 위에 노란색 피아노 덮개를 덮어 주고 아이리스를 앤의 손에 쥐여 주었다. 그리고 앤의 이마에 차례차례 키스를 했다.

"일레인 공주님, 안녕."

아이들은 온 힘을 다해 배를 호수로 밀었다. 배는 호수 깊이 박혀 있던 낡은 말뚝에 살짝 부딪히는가 싶더니 물결을 타고 아래쪽으로 서서히 떠내려갔다. 앤은 배 안에서 낭만浪漫적인 그 상황을 즐겼다.

그때 갑자기 배에 물이 들어오기 시작했다. 아까 말뚝에 부딪히면서 배에 구멍이 생긴 것이다. 앤은 깜짝 놀라 자리에서 벌떡 일어나 큰 소리로 비명을 질렀다. 하지만 아무도 도우러 오지 않았고, 배는 떠내려가면서 점점 물속으로 가라앉았다. 앤은 침착함을 잃지 않고 무엇을 해야 할지 부지런히 생각했다. 앞쪽에 다리가 보였다.

낭만(浪漫) : 실현성이 적은, 매우 정서적이고 이상적인 심리 상태.

'저 다리 기둥에 매달리는 수밖에 없어.'

배가 다리에 부딪히며 쿵 소리를 내자, 앤은 기둥에 필사적으로 매달렸다. 기둥은 낡고 미끄러워서 올라갈 수도 내려갈 수도 없었다. 깊은 물속을 내려다보니 온몸이 오싹해지며 다리까지 후들후들 떨렸다. 한참을 매달려 있다 보니 팔이 아파 더 이상 매달려 있기가 불가능했다.

욱, 원수는 외나무 다리에서 만난다더니! 하필 길버트를 만날 게 뭐람.

그때 마침 길버트 블라이드가 배를 타고 가까이 노를 저어 왔다. 길버트는 다리에 매달려 있는 앤을 발견하고 서둘러 배를 기둥에 가까이 댔다. 앤은 길버트가 내민 손을 잡고 배 안으로 겨우 기어 들어갔다.

"앤, 도대체 어떻게 된 거야?"

길버트가 놀란 목소리로 물었다. 앤은 자기를 구해 준 사람의 얼굴을 쳐다보지도 않고 쌀쌀맞게 대답했다.

"일레인을 연극으로 꾸미다 이렇게 됐어."

길버트는 앤을 친절하게 선착장까지 데려다 주었고, 앤은 배에서 내리며 오만傲慢하게 말했다.

"신세 많이 졌어."

길버트가 뒤따라 뛰어 올라와 앤의 팔을 붙잡았다.

"앤, 네 머리를 가지고 놀렸던 것 정말로 미안하게 생각해. 그러니 이젠 날 용서해 주면 안 되겠니?"

그 순간 앤은 기분이 이상하고, 가슴이 콩닥콩닥 뛰었다. 하지만 길버트는 앤의 인생에 가장 큰 수치심을 안겨 준 아이였다. 앤은 분한 감정이 되살아나 자기도 모르게 매몰차게 말했다.

"너하고는 친구가 될 수 없어! 절대로!"

길버트는 앤이 사과를 받지 않자 얼굴이 굳어졌다.

"좋아! 나도 다시는 친구하자고 말 안 할 거야!"

길버트는 얼굴이 벌겋게 달아올라 배에 타더니 노를 저어 멀리 가 버렸다. 배를 타고 사라지는 길버트를 보며

오만(傲慢) : 태도나 행동이 건방지거나 거만함.

앤은 자신이 내뱉은 말을 후회했다.

잠시 후 다이애나와 친구들이 앤을 향해 달려왔다.

"앤! 살아 있었구나!"

다이애나가 앤의 목을 끌어안으며 소리를 질렀다.

"네가 죽은 줄 알았어. 너를 영영 잃어버릴까 봐 얼마나 슬펐는지 몰라."

다이애나는 참았던 울음을 터뜨리고 말았다. 앤이 다이애나를 달래며 말했다.

"괜찮아. 길버트가 작은 배로 나를 여기까지 데려다 줬어. 너희들을 걱정시켜서 미안해."

"어머나, 정말 낭만적인 이야기야. 길버트가 갑자기 멋져 보이는걸. 길버트와 화해和解한 거니?"

다이애나의 물음에 앤은 고개를 저었다.

"절대 아니야!"

그날 저녁 마릴라는 앤을 나무랐다.

화해(和解) : 싸움하던 것을 멈추고 서로 가지고 있던 안 좋은 감정을 풀어 없앰.

"앤, 언제나 말썽이 끊이지를 않는구나. 너도 이제 다 컸는데 철이 들어야 하지 않겠니?"

앤은 천연덕스럽게 대답했다.

"네, 그래야죠."

앤은 동쪽 방에 틀어박혀 실컷 울었다. 그리고 마음이 진정되자 전처럼 명랑해졌다. 앤은 마릴라의 손을 잡고 이야기했다.

"정말 죄송해요. 제가 지나치게 낭만적이라 위험에 빠졌던 것 같아요. 낭만이 별로 중요하지 않다는 것을 깨달았어요."

낭만이 없다면 인생이 참 삭막할 것 같아.

마릴라는 미심쩍었지만 이번만 믿기로 하고 일을 보러 밖으로 나갔다. 한쪽 구석에 앉아 있던 매슈의 생각은 달랐다.

"앤, 조금은 낭만적인 게 좋지 않겠니?"

매슈는 앤의 어깨에 손을 얹고 수줍게 말하고는 일하러 밖으로 나갔다.

어느 날 다이애나가 발갛게 상기된 얼굴로 말했다.

"앤, 기쁜 소식이 있어."

"무슨 일인데?"

"조세핀 할머니가 우리를 할머니 댁으로 초대했어."

앤은 신이 나서 제자리에서 빙글빙글 돌았다.

"와, 벌써부터 가슴이 뛰어. 하지만 마릴라 아주머니가 허락해 줄까? 다른 집에서 자는 것을 싫어하거든."

다이애나가 눈을 찡긋거리며 말했다.

"염려 마. 엄마에게 부탁해서 허락을 얻어 낼 거야."

마릴라는 앤이 시내에 가는 것을 허락했지만 조세핀 할머니에게 누를 끼치지 않도록 얌전히 행동하라고 주의를 줬다.

다음 날 아침, 앤과 다이애나는 배리 씨의 마차를 타고 샬럿타운에 있는 조세핀 할머니의 집으로 갔다. 조세핀 할머니는 두 소녀를 반갑게 맞았다.

"정말 잘 왔다! 몰라볼 정도로 컸구나."

집을 구경한 앤과 다이애나는 입을 다물지 못했다. 근사한 가구와 장식이 가득했기 때문이다. 앤은 대저택을

보며 황홀한 듯 긴 한숨을 내쉬었다.

"이런 집을 상상한 적이 있지만 진짜 보게 되다니 믿을 수 없어. 하지만 모든 것이 다 훌륭해서 더 이상 상상할 것이 없다는 게 아쉬워. 이럴 때는 가난하다는 게 더 감사해. 상상할 거리가 훨씬 많으니까."

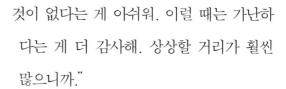
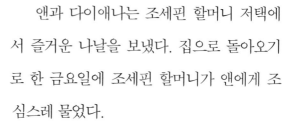

앤은 정신이 풍요로운 삶이 훨씬 값어치가 있다는 걸 알았어.

앤과 다이애나는 조세핀 할머니 저택에서 즐거운 나날을 보냈다. 집으로 돌아오기로 한 금요일에 조세핀 할머니가 앤에게 조심스레 물었다.

"이곳이 마음에 든다면 나와 함께 사는 건 어떻겠니?"

"말씀은 고맙지만 제게는 에이번리 마을의 초록 지붕 집이 훨씬 어울려요. 그리고 매슈 아저씨와 마릴라 아주머니와 떨어져 사는 건 상상할 수조차 없어요."

조세핀 할머니는 빙그레 미소를 지었다. 아침이 되자 배리 씨가 앤과 다이애나를 데리러 왔다. 두 소녀는 조세핀 할머니에게 작별 인사를 했다.

"조세핀 할머니, 정말 즐거웠어요."

앤은 조세핀 할머니의 주름진 뺨에 키스를 했다. 앤과 다이애나를 태운 마차가 에이번리 마을을 향해 떠나자 조세핀 할머니는 쓸쓸히 혼잣말을 중얼거렸다.

"고아원에서 여자 아이를 입양했다는 소리를 듣고 난 마릴라가 정신 나갔다고 생각했는데, 이제 보니 아주 현명한 선택을 했군."

앤과 다이애나는 저녁 무렵이 돼서야 집에 도착했다. 멀리 초록 지붕 집에서 새어 나오는 불빛이 보였다. 앤은 언덕을 뛰어 올라가 씩씩하게 집 안으로 들어갔다. 마릴라가 뜨개질을 하다 앤을 반겼다.

"이제 돌아왔구나."

"네, 돌아와서 너무 좋아요. 모두에게 키스하고 싶어요. 아주머니, 아저씨 그리고 시계한테까지도요."

"네가 돌아와서 나도 정말 기쁘구나. 네가 없는 사흘이 참 길게 느껴지지 뭐니."

저녁을 먹고 앤은 난로 앞에 앉아 그동안의 이야기를 풀어 놓았다. 그리고 마지막 말을 이렇게 맺었다.

"정말 멋진 시간을 보냈어요. 하지만 무엇보다 집으로 돌아오는 것이 가장 좋았어요."

앤이 조세핀 할머니 댁에서 돌아온 며칠 뒤 바느질을 하던 마릴라가 갑자기 생각난 것처럼 불쑥 말을 꺼냈다.

"참, 아까 네가 다이애나에게 놀러 갔을 때 스테이시 선생님이 다녀갔단다."

앤은 겁먹은 표정으로 자신의 잘못을 고백했다.

〈벤허〉는 미국의 작가 루 월리스가 쓴 소설이야. 영화로도 만들어져서 큰 인기를 끌었지.

"어제 역사 시간에 〈벤허〉를 읽다가 들켰어요. 수업 시간 전에 마차 경주가 막 시작되는 부분을 읽고 있었는데, 뒷부분이 어떻게 될지 정말 궁금했거든요. 저는 선생님에게 다시는 그런 짓을 하지 않겠다고 약속했어요. 선생님이 분명 괜찮다고 했는데 여기까지 와서 그 이야기를 하다니 너무해요."

"나는 처음 듣는 이야기인걸. 그런 얘기를 스스로 하다니 네가 양심(良心)에 찔렸나 보구나. 선생님은 퀸스 학교를 가고 싶어 하는 사람을 위해 따로 준비반을 만들겠다고 했어. 우리에게 너를 그 반에 넣으면 어떻겠느냐고 묻더라. 앤, 네 생각은 어떠니? 너도 선생님이 되고 싶니?"

앤은 자리에서 벌떡 일어나 두 손을 맞잡았다.

"아주머니, 저는 선생님이 되고 싶어요. 하지만 상급 학교에 다니면 돈이 많이 들잖아요."

"돈 걱정은 하지 마. 매슈 오빠와 내가 널 키우기로 했을 때 이미 힘 닿는 대로 교육을 시키기로 결심했단다. 원한다면 퀸스 준비반에 들어가 공부를 하려무나."

"아, 마릴라 아주머니, 고맙습니다. 열심히 공부해서 은혜를 갚을게요. 이제 공부가 더 재밌을 거예요. 목표가 생겼으니까요."

양심(良心) : 옳고 그름과 선과 악의 판단을 내리는 도덕적 의식.

6장
퀸스 준비반

    얼마 후 학교에는 퀸스 준비반이 결성됐다. 길버트와 앤도 준비반에 들어갔다. 다이애나는 음악 학교에 진학할 예정이라 들어가지 않았다.

    보충 수업을 위해 학교에 남아 있던 앤은 다이애나가 혼자 쓸쓸히 집에 가는 모습을 보고 눈물을 흘렸다. 하지만 길버트에게 우는 모습을 보이기 싫어 라틴 어 책을 들어 얼굴을 가렸다. 호숫가에서 앤이 사과를 거절한 뒤로 길버트는 앤을 완전히 무시했다.

    스테이시 선생님의 지도 아래 퀸스 준비반에 들어간 학생들은 매우 열심히 공부했다. 어느덧 시간이 흘러 한 학기가 끝나고 여름 방학이 시작됐다. 앤은 그동안 공부하느라 미루어 놓았던 놀이들을 하며 즐겁게 보내기로 마음먹었다.

어느 날 마릴라가 목요일 봉사회 모임에 참석하지 않자 린드 부인이 궁금해하며 초록 지붕 집을 찾아왔다. 마릴라는 모임에 참석하지 못한 이유를 설명했다.

"오빠의 심장병이 도졌거든요. 상태가 아주 안 좋아요. 전보다 잦아져서 정말 걱정이에요."

마릴라와 린드 부인은 응접실에 앉아 앤이 준비해 준 차를 마셨다. 해 질 무렵 마릴라는 린드 부인을 배웅했다. 린드 부인이 마릴라에게 웃으며 말했다.

"앤은 총명한 아이예요. 도움이 많이 되겠어요."

"이제는 많이 침착해져서 믿을 만해요. 덤벙대는 버릇도 고치고 있고요."

"얼굴도 정말 예뻐졌어요. 다이애나나 루비 사이에 있으면 마치 붉은 작약이 하얀 백합 옆에 피어 있는 것 같다니까요. 앤이 그 아이들보다 예쁜 건 아닌데도 곁에 있으면 그 아이들이 오히려 평범해 보이잖아요."

달콤한 여름 방학이 끝나고 가을이 찾아왔다. 그리고 눈 깜짝할 사이에 겨울이 됐다. 앤은 공부하는 것 외에 친구들과 파티나 음악회에 가기도 했지만 마릴라는 더 이상 앤을 간섭干涉하지 않았다.

마릴라는 설거지를 하는 앤을 물끄러미 바라보았다.

"앤, 이제 정말 아가씨가 다 되었구나."

마릴라는 부쩍 자란 앤이 대견스러우면서도 앤이 곧 자신을 떠날 거라는 생각을 하자 서운한 생각이 들었다. 마릴라는 자신의 방으로 들어와 울음을 터뜨렸다.

"앤은 이제 처녀가 됐어. 이번 겨울에는 이곳에서 지내지 못할 거야. 앤이 없으면 쓸쓸해서 어떻게 견디지?"

마릴라는 앤을 떠나보낼 준비를 해야 한다는 생각에 한숨을 깊이 내쉬었다.

마지막 학기가 끝나고 드디어 퀸스 학교의 입학시험을

간섭(干涉) : 직접 관계가 없는 남의 일에 부당하게 참견함.

치르는 날이 됐다. 앤은 시험을 치기 위해 친구들과 시내로 가야 했다. 다이애나는 시내로 떠나는 앤을 배웅하며 울먹였다.

"꼭 좋은 성적成績을 거두길 바라. 시내에 있는 동안 편지 보내 줘. 네가 무척 그리울 거야."

앤은 다이애나의 손을 잡고 약속했다.

"나도 네가 그리울 거야. 화요일 밤에 첫날 시험이 어땠는지 편지를 보낼게."

앤은 조세핀 할머니 댁에 묵으면서 입학시험을 봤다. 그리고 며칠 후 시험을 다 치르고 에이번리 마을로 다시 돌아왔다. 초록 지붕 집 앞에서는 매슈와 마릴라, 다이애나가 앤을 애타게 기다리고 있었다. 다이애나는 앤을 몇 년 만에 만나는 것처럼 반겼다.

"앤, 시험은 잘 치렀니?"

"그런 대로 잘 본 것 같아. 기하학만 빼고. 왠지 떨어질

성적(成績) : 학생들이 배운 지식, 기능, 태도 따위를 평가한 결과.

것 같은 기분 나쁜 예감이 들어. 하지만 집에 돌아와서 얼마나 좋은지 모르겠어!"

다이애나는 불안해하는 앤을 위로하며 말했다.

"넌 합격할 거야. 걱정하지 마."

"다이애나, 합격하는 것만으로는 안 돼. 좋은 성적을 거둬야 해. 매슈 아저씨와 마릴라 아주머니가 기대하고 있고, 길버트한테 지기도 싫어."

앤은 적어도 10등 안에 들어 매슈가 기뻐하는 모습을 보고 싶었다. 시험이 끝나고 3주가 지나도 합격자 명단은 발표되지 않았다. 앤은 식욕도 잃고 흥미로운 일도 찾지 못했다. 매슈는 창백한 얼굴로 우체국에서 돌아오는 앤이 안쓰러워 어쩔 줄을 몰랐다.

그러던 어느 날 오후 앤은 창가에 앉아 시름을 잊고 달콤한 꽃향기와 포플러 잎이 스치는 소리를 감상하고 있었다. 그때 다이애나가 신문을

앤은 자신을 응원해 준 매슈와 마릴라에게 좋은 성적으로 꼭 보답하고 싶어 했어.

흔들며 전나무 숲을 지나 통나무 다리를 건너오는 게 보였다. 앤은 어지러웠고 가슴이 두근거려 자리에서 움직일 수 없었다. 다이애나가 방으로 뛰어 올라왔다.

"앤, 합격했어. 그것도 1등으로 말이야. 길버트랑 공동 1등이지만 네 이름이 먼저 나왔어."

다이애나는 앤에게 신문을 전해 주고 쓰러지듯 자리에 주저앉았다. 앤은 200명의 아이들 이름 중 가장 위쪽에 있는 자신의 이름을 발견했다. 다이애나가 물었다.

"정말 잘했어, 앤. 1등을 한 기분이 어때?"

"무슨 말을 해야 할지 모르겠어. 다이애나, 빨리 매슈 아저씨와 마릴라 아주머니에게도 소식을 알려야겠어."

앤과 다이애나는 건초 밭에서 건초를 뭉치고 있는 매슈에게 갔다. 마릴라는 길가 울타리에서 린드 부인과 이야기를 나누고 있었다. 앤이 소리쳤다.

"아저씨, 아주머니, 제가 1등으로 합격했어요."

마릴라는 린드 부인에게 자랑하고 싶은 마음을 꾹 누르며 말했다.

"장하다, 앤."

매슈는 합격자 명단을 들여다보며 말했다.

"나는 우리 앤이 1등을 할 줄 알았어."

앤은 그날 밤 창가에 무릎을 꿇고 앉아 진심에서 우러나오는 기도를 했다. 지난 일에 대한 감사와 앞일에 대한 경건한 소망이었다.

3주 동안 초록 지붕 집은 무척 바빴다. 앤을 퀸스 학교에 보내려면 준비할 게 많았다. 마릴라는 매슈의 말대로 옷도 넉넉하게 준비했고 이것저것 필요한 짐들을 챙겼다. 우아한 초록색 옷감으로 이브닝드레스도 한 벌 만들어 주었다. 앤이 파티나 외출을 할 때 다른 아이들에게 밀리는 게 싫었기 때문이다.

어느 날 저녁, 앤은 매슈와 마릴라에게 감사하는 뜻으로 초록색 이브닝드레스를 입고 부엌에서 '소녀의 맹세'를 낭송朗誦했다. 마릴라는 앤의 시 낭송을 들으며 앤이

낭송(朗誦) : 크게 소리를 내어 글을 읽거나 욈.

처음 초록 지붕 집에 왔던 날 밤을 떠올렸다. 그 생각을
하자 저도 모르게 눈물이 흘러내렸다.

"아주머니, 드디어 제 시 낭송을 듣고 감동해서 우는
건가요?"

앤은 의자에 앉아 있는 마릴라의 뺨에
키스를 하며 말했다.

"아냐, 네 시 낭송 때문에 운 게 아니야.
네가 처음 초록 지붕 집에 온 날을 떠올리고
있었어. 오, 앤! 차라리 네가 그때 그 조그만
여자 아이로 머물러 있다면 얼마나 좋을까!
네가 커서 에이번리를 떠날 것을 생각하니
마음이 너무 쓸쓸하구나."

앤은 매슈와
마릴라에게 없어서는
안 될 소중한 존재가
되었어.

마릴라의 눈물 섞인 말에 앤은 정답게 마릴라를 껴안으
며 말했다.

"아주머니, 전 조금도 변하지 않았어요. 초록 지붕 집
의 앤은 언제나 똑같아요. 제가 어디를 가든 제 마음속에
는 사랑하는 아주머니와 아저씨, 그리고 이 초록 지붕 집

샬럿타운은 캐나다 동부에 있는 도시야. 프린스에드워드 섬의 중심 도시라 할 수 있지.

이 있을 거예요."

드디어 앤이 샬럿타운으로 떠나는 날이 됐다. 매슈가 앤을 샬럿타운으로 실어다 주기 위해 마차를 꺼내 왔다. 앤은 눈물을 흘리며 다이애나와 작별 인사를 한 뒤 담담한 척 애를 쓰는 마릴라의 배웅을 받으며 샬럿타운으로 떠났다.

"앤의 빈자리가 이렇게 클 줄 몰랐어!"

마릴라는 마음의 고통에 시달리며 하루 종일 이것저것 쓸데없는 일들을 했다.

앤은 길버트와 같이 2학년 과정을 배워서 1년 안에 교사 자격증을 받을 생각이었다. 며칠 동안은 새로운 생활에 적응하느라 시간이 어떻게 가는지 몰랐다. 하지만 며칠이 지나자 초록 지붕 집이 생각나서 목이 메었다.

그러던 어느 날 앤은 에이번리 장학생에 대한 이야기를 들었다. 국문학 부문에서 1등을 한 졸업생이 에이번리 장학생에 선발되어 장학금을 받고, 레이먼드 대학에 입학하는 특혜特惠를 받는다는 것이었다.

'그래, 열심히 하면 장학금을 받을 수 있을 거야. 내가 대학에 가서 문학 학사가 된다면 아주머니와 아저씨도 나를 자랑스러워하겠지?'

앤은 학기말 시험에서 1등을 하여 금메달을 따는 게 목표였는데, 거기에 새로운 목표가 하나 더 생겼다.

길버트와의 경쟁은 에이번리 학교에 있을 때처럼 여전했다. 하지만 앤은 길버트의 콧대를 누르기 위해서라기보다 훌륭한 상대를 이겼다는 자신감을 갖기 위해 경쟁했다. 이기지 못한다 하더라도 예전처럼 견딜 수 없을 만큼 괴로울 것 같지는 않았다.

크리스마스 휴가가 끝나자 에이번리 학생들은 학기말 시험을 대비해 열심히 공부했다. 다들 시험 때문에 초조해했지만 앤은 느긋한 표정을 지었다.

"난 최선을 다했고 그것으로 만족해. 노력해서 이기는

특혜(特惠) : 특별한 은혜나 혜택.

것도 좋지만 노력해서 실패하는 것도 나쁘지 않아. 에이
번리 장학금을 못 받는다 하더라도 나는 실망하지 않아."

얼마 뒤 앤은 학기말 시험을 치렀다. 최종 결과가 게시
판에 붙은 날 아침, 앤은 에이번리 학교 친구인 제인과 길
을 걸어가고 있었다. 이제 10분 뒤면 누가 메달을 타고 누
가 에이번리 장학금을 받게 되는지 알게 될 것이다.

학교 건물로 들어설 때 홀 안에서 남자 아이들이 길버
트를 무동 태우고 큰 소리로 외치는 소리가 들렸다.

"길버트가 메달을 땄다!"

앤은 패배로 인한 실망감에 가슴이 몹시 아팠다. 그때
누군가가 소리쳤다.

"앤 셜리는 에이번리 장학생이 됐어!"

앤은 많은 친구들에게 축하를 받았다. 그 순간 앤의 머
릿속에 가장 먼저 떠오른 사람은 매슈와 마릴라였다.

"당장 초록 지붕 집으로 소식을 전해야겠어."

얼마 후 학교 강당에서 졸업식이 있었다. 앤은 마릴라
가 만들어 준 초록색 드레스를 입고 자신이 지은 멋진 작

문을 읽었다. 매슈와 마릴라도 그 자리에 참석하여 흐뭇
한 마음으로 앤을 바라보았다.

그날 오후 앤은 초록 지붕 집으로 돌아왔다. 사과꽃이
만발한 에이번리는 새롭고 싱싱해 보였다. 다이애나가 초
록 지붕 집에서 앤을 기다리고 있었다. 다이애나는 앤에
게 이것저것 묻느라 바빴다.

"에이번리 장학생이 됐으니 지금 당장 선생님이 되진
않겠지?"

"응. 9월에 레이먼드 대학에 갈 거야."

"길버트는 선생님이 될 거래. 대학에 갈 형편이 못 돼
서 자기가 직접 돈을 벌어서 가야 한대."

앤은 그 말을 듣고 놀랍기도 하고 실망스럽기도 했다.
서로를 분발奮發하게 하던 경쟁심 없이 공부를 할 수 있을
까? 길버트 없이는 왠지 따분할 것도 같았다.

분발(奮發) : 마음과 힘을 다하여 떨쳐 일어남.

7장
매슈 아저씨와의 이별

여느 때와 마찬가지로 앤은 부엌에서 아침 식사를 하고 있었다. 그런데 매슈의 안색이 좋지 않았다. 앤은 매슈의 건강이 나빠졌다는 사실을 알아차렸다. 아침 식사를 마치고 매슈가 밖으로 일을 하러 나간 사이 앤은 마릴라에게 물었다.

"매슈 아저씨는 괜찮은 거죠?"

앤의 물음에 마릴라가 걱정스레 말했다.

"실은 올봄에 매슈 오빠가 심장 마비를 일으켰단다. 그래도 요즘은 좋아진 거야. 네가 왔으니 괜찮아질 거야. 넌 항상 매슈 오빠를 기쁘게 하니까."

앤은 식탁에 기대며 마릴라의 얼굴을 정답게 보았다.

"마릴라 아주머니도 예전 같지 않아요. 피곤해 보여요. 제가 집에 있으니 아주머니도 좀 쉬세요."

마릴라는 앤을 보며 다정하게 웃었다.

"그래. 그나저나 에비 은행에 대해서 들은 게 있니?"

"파산破産할 것 같다고 하던데요."

"그 때문에 매슈 오빠의 건강이 더 나빠졌어. 우리 집 재산이 전부 에비 은행에 들어 있거든."

다음 날, 앤은 수선화를 한 아름 안고 현관에 들어서다 매슈가 신문을 들고 얼굴을 찡그리며 부엌에 서 있는 것을 보았다.

"매슈 아저씨! 괜찮으세요?"

앤은 꽃을 던지고 매슈에게 달려갔다. 그러나 매슈는 얼굴이 창백해지더니 그 자리에 쓰러지고 말았다. 마릴라는 일꾼을 시켜 의사를 불러오라고 했다. 앤과 마릴라는

파산(破産) : 재산을 모두 잃고 망함.

매슈를 깨어나게 하려고 온갖 방법을 다 썼다. 하지만 결국 매슈의 얼굴에는 따뜻한 온기가 돌아오지 않았다.

초록 지붕 집에 도착한 의사는 매슈의 죽음이 순간적이었으며 갑작스러운 충격 때문인 것 같다고 했다. 매슈가 들고 있던 신문에는 에비 은행의 부도 기사가 실려 있었다. 소식을 들은 에이번리 마을 사람들이 초록 지붕 집을 찾아와 위로를 해 주고 일을 도와줬다.

밤이 되고 초록 지붕 집에는 적막이 흘렀다. 앤은 매슈가 좋아했던 꽃을 모아 관 속에서 평화(平和)로운 표정을 짓고 있는 매슈에게 가져다주었다. 앤은 매슈의 죽음이 믿기지 않았다. 하지만 새벽녘 갑자기 슬픔이 파도처럼 밀려왔다. 매슈와 함께한 추억이 떠올라 가슴이 터지도록 울었다. 마릴라가 앤을 달래 주러 방으로 들어왔다.

"이런…… 앤…… 그렇게 울지 마라."

마릴라는 앤을 품에 안고 슬픔을 함께 나누었다.

평화(平和) : 전쟁, 분쟁, 갈등이 없이 평온함. 또는 그런 상태.

매슈는 평생 가꿔 오던 밭과 과수원을 뒤로하고 에이번리 공동묘지에 묻혔다. 앤은 매슈의 무덤에 꽃을 놓으며 안부를 전했다.

매슈 아저씨는 앤에게 아버지와 다름없는 따뜻한 분이었어.

'나의 아버지, 사랑하는 매슈 아저씨! 이제 편히 눈 감으세요.'

초록 지붕 집에 다시 일상이 찾아왔다. 모든 것이 원래대로 자리 잡아 갔지만 앤과 마릴라는 매슈의 모습을 볼 수 없어 몹시 슬펐다.

며칠 뒤 앤은 매슈의 무덤에 장미를 심고 초록 지붕 집으로 돌아왔다. 마릴라는 현관 계단에 앉아 있었다. 앤도 마릴라의 곁에 자리를 잡고 노란빛 인동 덩굴 가지를 모아 머리에 꽂았다. 머리를 움직일 때마다 달콤한 향이 났다.

"앤, 길버트는 선생님이 되었겠구나. 지난 일요일에 교회에서 봤는데 키도 크고 잘생긴 청년이 되었더구나. 자기 아버지를 꼭 닮았어. 존 블라이드는 좋은 사람이었지.

우리는 아주 친한 친구였어. 사람들은 존을 내 남자 친구라고 했지."

앤은 마릴라의 이야기에 귀를 기울였다.

"그래서 어떻게 됐어요?"

"우리는 심하게 싸웠어. 존이 용서를 구했지만 내가 거절했지. 용서하고 싶었지만 화가 나서 우선 혼을 내주고 싶었던 거야. 하지만 존은 다시 돌아오지 않았어. 블라이드네 사람들은 자존심自尊心이 아주 강하거든. 기회가 있을 때 용서해 주었더라면 좋았을 텐데……."

"조금은 낭만적인 사건이네요."

"나를 보면 그런 일이 전혀 없을 것 같지? 사람들은 나와 존의 일을 모두 잊었어. 그런데 지난 일요일에 길버트를 보니 문득 옛일이 떠오르더구나."

며칠 후 마릴라는 뜰에서 손님과 이야기를 나누고 안으로 들어왔다. 앤이 내다보니 그 사람은 카모디에서 온 존

자존심(自尊心) : 남에게 굽히지 아니하고 자신의 품위를 스스로 지키는 마음.

새들러 씨였다.

"새들러 씨가 왜 찾아온 거예요?"

"초록 지붕 집을 팔려고 한다는 소리를 듣고 사고 싶다고 하는구나."

"초록 지붕 집을 판다고요?"

앤은 귀를 의심했다. 마릴라는 슬픔에 잠겨 말했다.

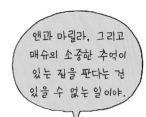

앤과 마릴라, 그리고 매슈의 소중한 추억이 있는 집을 판다는 건 있을 수 없는 일이야.

"나 혼자 이곳을 꾸려 갈 자신이 없어. 우리 돈도 모두 에비 은행에 있잖니. 방학 때 돌아올 집이 없어 미안하구나. 하지만 나는 네가 잘 견디리라 믿는다."

앤은 고개를 세차게 저으며 말했다.

"집을 팔지 마세요. 학교에서 아이들을 가르칠 거예요. 에이번리 학교는 이미 길버트로 정해졌으니 카모디의 학교로 가려고 해요. 우리는 여기 초록 지붕 집에서 따뜻하고 행복하게 지낼 거예요."

마릴라는 앤을 말렸다. 하지만 앤의 굳은 결심을 꺾을

수는 없었다. 앤이 대학에 가지 않고 학생들을 가르칠 거라는 소문은 금세 에이번리 마을에 퍼졌다.

길버트는 그 이야기를 듣고 에이번리 학교 자리를 앤에게 양보해 주었다. 앤은 길버트가 에이번리 학교를 양보했다는 이야기를 듣고 밤잠을 설쳤다.

앤은 길버트에게 그런 신세를 지고 싶지는 않았다. 하지만 길버트가 이미 화이트샌즈 학교와 계약을 했다는 린드 부인의 말에 고맙게 받아들일 수밖에 없었다.

다음 날 저녁 앤은 매슈의 무덤에 신선한 꽃을 놓고 언덕을 내려오다 길버트가 휘파람을 불며 블라이드 씨네 대문에서 나오는 걸 봤다.

길버트는 앤을 보고 공손하게 모자를 벗었지만 앤이 불러 세우지 않았다면 그냥 지나쳐 갔을 것이다.

"길버트, 고맙다는 말을 하고 싶었어."

앤이 얼굴을 붉히며 악수를 청했다. 길버트는 쑥스러워하며 앤의 손을 잡았다.

"네게 조금이라도 도움이 될 수 있다는 게 기뻤어. 이

제 우리도 친구가 될 수 있을까? 옛날의 나의 실수를 용서해 줄 수 있겠니?"

"그날 호숫가에서 이미 널 용서했어. 솔직히 털어놓았으면 좋았을걸. 그 뒤로 많이 후회했어."

앤의 말에 길버트는 몹시 기뻐했다.

"우리는 정말 좋은 친구가 될 거야. 앤, 너도 나처럼 앞으로 계속 공부할 거지? 가자, 내가 집까지 바래다줄게."

마릴라는 앤이 부엌으로 들어오자 물었다.

"같이 걸어온 애는 누구니?"

"길버트예요. 언덕에서 만났어요."

앤은 그 말을 하며 얼굴이 발그레해졌다. 그러자 마릴라가 웃으면서 말했다.

"문 앞에서 30분이나 이야기할 만큼 두 사람이 친하지는 않았잖아."

"네. 우리는 좋은 적수敵手였어요. 그런데 앞으로는 좋

적수(敵手) : 재주나 힘이 서로 비슷해서 상대가 되는 사람.

은 친구로 지내기로 했어요. 그런데 우리가 정말 30분이
나 거기 있었어요? 몇 분밖에 이야기하지 않은 것 같은
데……. 5년 동안 하지 못한 얘기가 너무 많았나 봐요."

그날 밤 앤은 흐뭇한 마음으로 동쪽 방 창가에 앉아 있
었다. 벚나무 가지 사이로 바람이 살랑거리며 지나가자
박하 향이 은은하게 퍼졌다.

퀸스에서 돌아온 이후로 앤의 세계는 다시
좁아졌다. 하지만 앤은 자기 발 앞에 놓
인 길이 좁다고 해도 잔잔한 행복의 꽃
이 다시 필 것이라는 걸 알았다. 그 어떤
것도 앤의 천부적인 상상력과 꿈속 세계를
빼앗아 갈 수는 없었다. 그리고 길에는 늘
모퉁이가 있다!

"하느님은 천국에 있고, 세상은 공평하
도다."

앤이 나지막한 목소리로 속삭였다.

길 모퉁이를
돌아서면 새로운 세상이
펼쳐질 거야.

PART 3

이야기가 흥미진진했니?
논술을 하며 더 깊이 생각해 볼까?

깊어지는 논술

빨간 머리 앤 (Anne of Green Gables)

1908년에 발표된 〈빨간 머리 앤〉은 책으로 나오기까지 험난한 과정을 거쳤답니다. 여러 출판사에서 거절을 당했거든요.

〈빨간 머리 앤〉이 탄생하게 된 것은 작가 루시 모드 몽고메리의 메모 습관 때문이었어요. 1904년 봄날, 몽고메리는 우연히 옛날 메모첩에 있는 글을 발견했어요. '어떤 농부가 고아원에서 남자 아이를 입양하려고 했지만 여자 아이가 오고 말았다.' 이웃집을 방문한 어린 여자 아이를 보고 엉뚱한 상상력을 발휘해 썼던 것이었지요. 그 짧은 글을 토대로 〈빨간 머리 앤〉이 탄생했답니다.

루시 모드 몽고메리는 가진 것 없고 볼품없는 외모지만 누구보다 당당하고 밝게 사는 앤을 통해 많은 사람들에게 용기를 심어 주고 싶어 했어요.

◀ 루시 모드 몽고메리가 어린 시절 지냈던 방이에요. 루시는 이곳에서 앤처럼 많은 꿈을 꾸고 재미있는 이야기들을 만들어 냈답니다.

루시 모드 몽고메리
(Lucy Maud Montgomery, 1874~1942)

루시 모드 몽고메리는 1874년 캐나다의 프린스에드워드 섬에서 태어났어요. 어린 시절 루시 모드 몽고메리는 '글을 쓰고 싶어 몸이 쑤시는' 기질을 타고 난 꿈 많고 상상력 넘치는 소녀였어요. 〈빨간 머리 앤〉은 루시 모드 몽고메리의 첫 작품이에요. 몽고메리는 이 책으로 영국, 캐나다, 프랑스 예술원 회원이 되었고, 프랑스 예술원에서 수여하는 은메달을 수상했답니다. 대표 작품으로는 〈에이번리의 앤〉, 〈레이먼드의 앤〉, 〈사랑의 유산〉, 〈블루 캐슬〉 등이 있어요.

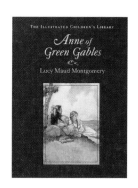

▲ 〈빨간 머리 앤〉을 발표한 뒤 루시 모드 몽고메리는 앤의 처녀 시절을 다룬 책들을 계속 발표했어요.

여러분도 앤처럼 행복한 꿈을 꾸길 바랍니다!

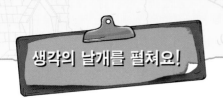

불행을 이기는 사랑의 힘

　고아 소녀 앤 셜리의 좌충우돌 성장기가 재미있었나요? 예쁘지는 않지만 사랑스럽고 씩씩한 앤을 만나게 되어 기분이 좋았지요?

　일찍 부모님을 여의고 고아가 된 앤은 언제나 이 집 저 집 떠돌아다녀야 했어요. 앤은 따뜻하게 불이 켜진, 외출했다가 돌아갈 수 있는 집을 간절히 원했어요. 그리하여 소원대로 매슈 아저씨와 마릴라 아주머니가 있는 초록 지붕 집에 오게 되었지요.

　여러분은 돌아갈 집이 있다는 사실에 대해 얼마나 감사하고 있나요? 또한 곁에 있는 가족의 소중함을 충분히 느끼고 있나요? 〈빨간 머리 앤〉을 읽으며 여러분도 그러한 소중한 것들을 모두 발견하기 바랍니다.

앤은 공주처럼 얌전한 아이가 아니었어요. 시도 때도 없이 말썽을 일으켰고, 홍당무라고 놀리는 길버트의 머리를 석판으로 내리칠 정도로 말괄량이였지요. 하지만 그 모든 게 불행한 환경에 휘둘리지 않고 자신의 아름다운 내면 세계를 지키기 위한 앤의 건강한 모습이랍니다. 내숭이라곤 모르는 앤을 보며 혹 린드 부인처럼 사고뭉치에다 버릇없는 아이라고 생각하지 않았나요? 겉모습보다는 마음을 볼 줄 아는 깊은 눈을 가진 여러분이 되길 바랍니다.

앤은 작은 일에도 고마워할 줄 아는 소박함을 지녔어요. 재미난 상상을 통해 콤플렉스도 극복하곤 했어요. 초록색 눈, 말라깽이라는 건 별로 신경 쓰지 않았어요. 장미를 닮은 살결과 보라색 눈을 가지고 있다고 상상하면 되었거든요. 윤기가 흐르는 검은 머리에 장밋빛 뺨을 가진 다이애나를 만났을 때도 남들 같으면 샘을 냈을 텐데, 앤은 그런 예쁜 친구가 자신의 친구가 되었다는 사실에 가슴이 부풀었지요.

여러분은 남들보다 더 좋은 것, 더 빛나는 것을 갖고 싶어 안달을 낸 적이 한 번쯤은 있었을 거예요. 하지만 앤처럼 작은 것에도 감사할 줄 아는 마음을 가진다면 더 소중한 것들을 얻게 될 거예요.

고아 소녀 앤은 하고 싶은 게 참 많았어요. 그중에서도 소풍은 태어나서 한 번도 가 본 적이 없었기 때문에 한껏 기대에 부풀어 있었지요. 하지만 마릴라의 자수정 브로치 분실 사건으로 인해 소풍을 갈 수 없게 되었답니다. 크게 실망한 앤은 자신이 브로치를 잃어버렸다고 거짓 고백을 합니다. 고백을 하면 소풍을 보내 줄 거라고 생각했거든요. 앤의 행동에 대해 여러분은 어떻게 생각하나요? 앤은 소풍을 가고 싶은 마음 때문에 거짓말을 하는 큰 잘못을 저지르고 말았어요. 이유가 어쨌든 진실하지 않은 행동은 스스로도 떳떳하지 못하고 더 좋지 않은 결과를 불러온다는 걸 명심하세요. 앤이 벌로 소풍을 가지 못하게 된 것처럼요.

앤은 길버트가 홍당무라고 놀린 이후로 절대 용서하지 않겠다고 다짐했어요. 그리고 배리 호수에서 자신의 목숨을 구해 준 길버트가 다시 사과를 했을 때도 쌀쌀맞게 돌아서 버렸지요. 학교에서도 1등을 두고 길버트와 치열한 경쟁을 벌였어요. 하지만 퀸스학교를 졸업한 뒤 앤은 길버트와 극적으로 화해를 했어요. 길버트가 앤을 위해 에이번리 학교의 교사 자리를 양보해 주었거든요.

앤이 좀 더 일찍 길버트에게 진심을 털어놓고 화해를 받아들였다면 어땠을까요? 오랫동안 미워하기보다 마음을 나누는 좋은 친구가 될 수 있었겠지요? 진정한 친구를 사귀고 싶다면 친구의 잘못까지 품을 수 있는 넉넉한 마음이 필요할 거예요.

항상 유쾌한 앤을 닮고 싶나요? 그래서 다른 사람에게 행복을 나누어 주고 싶나요? 스스로를 사랑하지 않는 사람은 불가능한 일이랍니다. 자신을 먼저 사랑하고 또한 그 사랑을 확장하여 남을 사랑할 수 있어야 해요. 그렇게 되면 여러분도 앤처럼 사랑받고 사랑을 나누는 행복한 아이가 될 수 있을 거예요.

자신을 사랑하는 사람은 불행한 일이나 환경을 이겨 낼 수 있는 강인한 힘을 갖게 돼.

그래, 맞아. 그리고 그 사랑을 남에게 나누어 줄 수도 있지. 오늘은 누구에게 내 사랑을 전해 볼까?

PART 4

논술을 풀며 앤처럼 깊이 생각하는
사람이 되어 보자.

PART 4

논술 워크북

1-1 앤은 어떻게 해서 초록 지붕 집으로 오게 되었나요?

1-2 앤은 초록 지붕 집으로 오기 전에 어떤 생활을 했나요?

HINT

고아원에 있던 앤이 어떻게 초록 지붕 집에 오게 되었는지 생각해 보세요.
제2장에서 앤이 마릴라에게 말한 것을 떠올려 보세요.

2 다음 본문에서 린드 부인의 말을 주장과 근거로 나누어
보고, 적절한 근거를 들어 비판해 보세요.

> 린드 부인은 걱정스러운 표정으로 혀를 끌끌 찼다.
> "그 아이가 자라 온 환경이랑 성품도 모르면서 아이를 키운
> 다는 것은 정말 위험한 일이에요."
> 마릴라는 태연하게 대꾸했다.
> "걱정하지 않아요. 앞으로 어떻게 가르치느냐가 더 중요하니
> 까요."
>
> — 제2장 —

- 린드 부인의 주장

- 린드 부인의 근거

- 린드 부인을 비판하는 근거

HINT

린드 부인은 앤이 어떤 아이인지 알게 되면서 자신의 생각이 틀렸다는 걸 알
게 됩니다.

3 매슈와 마릴라는 남자 아이를 입양하고 싶어 했습니다.
 그런데 착오가 생겨 여자 아이인 앤이 초록 지붕 집으로
 오게 되었지요. 만약에 초록 지붕 집에 남자 아이가 오게
 되었다면 어떤 일들이 벌어졌을까요? 앤처럼 상상하여
 여러분의 생각을 재미있게 써 보세요.

HINT

다른 아이가 왔다면 그 아이의 외모와 성격은 어땠을지 생각해 보세요. 그리
고 어떤 사건이 벌어졌을지 생각해 보세요.

4 마릴라는 앤이 브로치를 잃어버렸을 것이라고 생각하고 그 벌로 앤을 동쪽 방에 머물게 합니다. 그러자 앤은 소풍을 가고 싶은 마음에 거짓말로 자신이 브로치를 가져갔으며 실수로 강에 빠뜨렸다고 합니다. 마릴라의 입장에서 앤을, 앤의 입장에서 마릴라의 행동을 적절한 근거를 들어 비판해 보세요.

- **마릴라의 입장에서 앤을 비판하기**

- **앤의 입장에서 마릴라를 비판하기**

HINT

두 사람의 입장에서 생각해 보면 더 넓은 관점에서 사건을 바라볼 수 있을 것입니다.

5 다음은 〈빨간 머리 앤〉과 생텍쥐페리의 〈어린 왕자〉 중
일부입니다. 다음 글을 읽고 어떻게 하면 행복해질 수 있
는지 논술해 보세요.

> "제 상상력으로도 만들 수 없는 광경이에요. 정말이지 아름
> 다운 곳이에요. 그런데 가로수 길은 전혀 어울리지 않는 이름이
> 에요. '환희의 하얀 길' 어때요? 저는 뭐든 이름이 마음에 들지
> 않으면 새로 지어 준답니다."
>
> — 〈빨간 머리 앤〉의 제1장 —

> "제라늄에 이름을 지어 주는 게 무슨 의미가 있니?"
> "제라늄이라고 해도 이름을 갖고 있는 게 좋아요. 제 침실 밖에
> 있는 벚꽃나무에도 '눈의 여왕'이라는 이름을 지어 주었어요."
>
> — 〈빨간 머리 앤〉의 제4장 —

> "사람들은 이제 아무것도 알 시간이 없어졌어. 그들은 상점
> 에서 이미 만들어져 있는 것들을 사거든. 그런데 친구를 파는 상
> 점은 없으니까 사람들은 이제 친구가 없는 거지. 친구를 가지고
> 싶다면 나를 길들여 줘."
> "그럼 어떻게 해야 하는 거지?"
> 어린 왕자가 묻자 여우가 대답했다.

"참을성이 있어야 해. 우선 내게서 좀 떨어져서 이렇게 풀숲에 앉아 있어. 난 너를 곁눈질해 볼 거야. 넌 아무 말도 하지 마. 말은 오해의 근원이지. 날마다 넌 조금씩 더 가까이 다가앉을 수 있게 될 거야."

다음 날 다시 어린 왕자는 그리로 갔다.

"언제나 같은 시각에 오는 게 더 좋을 거야."

여우가 말했다.

"이를테면 네가 오후 4시에 온다면 난 3시부터 행복해지기 시작할 거야. 4시에는 흥분해서 안절부절못할 거야. 그래서 행복이 얼마나 값진 것인가 알게 되겠지! 아무 때나 오면 몇 시에 마음을 곱게 단장해야 하는지 모르잖아. 예의가 필요하거든."

- 〈어린 왕자〉 중 -

HINT

〈빨간 머리 앤〉과 〈어린 왕자〉에서 앤과 어린 왕자가 어떻게 친구를 사귀는지 살펴보고, 그것이 행복과 어떤 연관이 있는지 생각해 보세요.

6 다 쓴 글을 친구나 부모님 앞에서 발표해 보세요. 그리고
   듣는 사람이 고개를 끄덕이는지 아니면 고개를 갸우뚱하
   는지 반응도 살펴보세요. 발표가 끝난 후 평가도 부탁해
   보세요.

가이드북
GUIDE BOOK

작품의 전체 줄거리

앤은 고아가 되어 고아원과 남의 집을 전전하다가 매슈와 마릴라에게 입양되어 초록 지붕 집에 오게 됩니다. 매슈는 무뚝뚝한 사람이었지만 앤을 보고 첫눈에 마음에 들어 합니다. 마릴라도 고지식하고 딱딱한 성격이지만 앤을 잘 키우려고 노력합니다. 따뜻하고 밝은 성격의 앤은 매슈와 마릴라에게 기쁨을 주고, 이웃에 사는 다이애나와도 절친한 친구가 됩니다. 하지만 자신을 홍당무라고 놀린 길버트와는 앙숙이 됩니다.

앤은 실수로 다이애나에게 포도주를 먹이고, 머리를 초록색으로 염색하는 등 여러 가지 사고를 치지만, 훌륭한 아가씨로 자라 퀸스 학교에 1등으로 입학하고, 졸업 때에는 장학금도 받게 됩니다. 그러다 매슈의 죽음으로 인해 레이먼드 대학에 가는 것을 포기하고 마릴라 곁에서 살기로 합니다. 그리고 에이번리 학교의 교사 자리를 양보한 길버트와 화해를 합니다.

〈빨간 머리 앤〉의 의미

1908년에 출판된 〈빨간머리 앤〉은 지금까지도 널리 사랑을 받는 작품입니다. 이 작품은 사랑과 우정을 토대로, 못생긴 고아 소녀가 어떻게 주위 사람을 행복하게 하며 스스로도 행복해지는가 하는 모습을 보여 주고 있습니다. 앤은 자신이 처한 불행한 상황도 행복하게 바꿀 줄 알았습니다. 아무리 많은 재산을 가지고 있어도, 아름다운 외모를 가지고 있어도 불행한 사람들이 있습니다. 겉으로는 행복의 조건을 모두 가진 듯하지만 내면은 행복하지 않은 것입니다. 그러나 앤은 사소한 것, 작은 것, 쉽게 지나치는 것들에도 기쁨을 발견하고 행복해했습니다. 외모지상주의가 심해지는 요즘 같은 시대에 진정한 아름다움은 내면에 있다는 것을 우리는 앤을 통해 다시 깨닫게 됩니다.

1-1　사고 영역 _ 사실적 이해

본문의 내용을 잘 이해했는지 확인하는 문제입니다. 제1장과 제2장을 꼼꼼히 읽었다면 쉽게 답할 수 있습니다.

　매슈와 마릴라는 스펜서 부인에게 고아원에서 일을 도울 수 있는 남자아이를 데려다 달라고 부탁합니다. 그러나 로버트의 딸 낸시가 스펜서 부인에게 매슈와 마릴라가 여자 아이를 원한다고 잘못 전달했고, 그로 인해 스펜서 부인은 여자 아이인 앤을 매슈와 마릴라 집으로 보냈습니다.

1-2　사고 영역 _ 사실적 이해

본문의 내용을 잘 이해했는지 확인하는 문제입니다. 제2장을 잘 읽었다면 쉽게 답할 수 있습니다.

　앤은 노바스코샤 주의 볼링브로크에서 태어났지만 앤의 부모님은 앤이 태어난 지 석 달 만에 죽고 말았습니다. 앤은 토머스 아주머니 집에서 아이들을 돌보는 일을 하며 여덟 살 때까지 살았고, 그 집 형편이 어려워지자 해먼드 아주머니네 집에서 여덟 명의 아이들을 돌보며 지냈습니다. 2년 뒤 해먼드 아저씨가 죽자 앤은 고아원에 들어가게 됩니다. 매슈와 마릴라의 집에 오기 전까지 앤은 넉 달 동안 고아원에서 지냈습니다.

CHECKPOINT

　본문의 내용을 정확히 파악하는 것은 사실적 이해의 기본입니다. 세부적인 내용도 정확히 찾아낼 수 있어야 합니다.

2 사고 영역 _ 비판적 사고

비판적 사고에서는 '과연 그러한가?' 라고 물어보는 것이 중요합니다. 이 질문을 던지다 보면 어떤 주장과 근거에 대한 문제점이 드러납니다.

린드 부인은 '고아를 키우는 것은 잘못된 일이다.' 라고 주장을 합니다. 그 이유는 '고아가 자라 온 환경과 성품을 모르기 때문이다.' 이지요.

물론 고아가 자라 온 환경과 성품을 매슈와 마릴라는 알지 못합니다. 그러나 그렇다고 해서 그 고아를 키우는 것이 잘못된 일은 아닙니다. 자라 온 환경과 성품을 몰라도 고아를 잘 지도해서 올바르게 키울 수 있기 때문입니다. 그렇기 때문에 린드 부인의 주장과 근거는 편견에 사로잡혀 있고 타당하지 않습니다.

일부 고아들은 자라 온 환경이 좋지 않기 때문에 사회적으로 문제를 일으키기도 합니다. 그러나 이런 아이들은 극히 일부분에 해당합니다. 또한 고아가 아니라 하더라도 사회적으로 문제를 일으키는 아이들이 있습니다. 모든 고아들이 문제가 있는 것처럼 생각하는 것은 린드 부인의 잘못된 선입견일 뿐입니다.

CHECKPOINT

일부의 경우만 가지고 전체가 다 그런 것처럼 판단하는 오류를 '성급한 일반화의 오류' 라고 합니다.

3 사고 영역 _ 창의적 사고

본문의 내용을 참고로 상상력을 발휘해 보는 문제입니다. 독창적으로 생각해 보세요.

앤은 얼굴에 수많은 주근깨가 있고, 몸은 빼빼 말랐으며 빨간 머리를 하고 있었습니다. 그래서 린드 부인도 앤을 보고 "지독한 말라깽이인 데다 얼굴도 못생겼구나. 머리는 당근같이 빨간 색깔이고." 라고 서슴없이 말했습니다. 이렇게 앤은 겉으로 보기에는 좋아할 만한 구석이 별로 없는 아이였습니다. 그러나 앤은 사소한 사물에도 독특한 이름을 지어 주고, 작은 일에도 기뻐하며, 다른 사람을 즐겁게 만드는 아이였습니다.

앤의 보잘것없는 외모와 조건은 앤이 가진 내적인 아름다움을 더욱 부각시키는 역할을 합니다. 또한 퀸스 학교에 1등으로 입학하거나 학교 선생님이 되는 앤의 성공을 더욱 값진 것으로 만들어 줍니다.

이렇게 못생기고 빨간 머리인 여자 고아 아이가 등장하는 데에는 작가의 숨은 의도가 있습니다. 그렇다면 여러분은 어떤 주인공을 만들고 싶나요? 남자 아이가 등장한다면 이야기는 다른 쪽으로 흘러갈 것입니다. 남자 아이의 외모와 성격 등도 설정해 보고 마릴라와 매슈, 다이애나, 길버트, 린드 부인 등의 인물들과 엮어 갈 사건도 생각해 보세요.

✓ CHECKPOINT

남자 아이의 나이, 인종, 성격, 외모, 가정환경, 장점, 단점 등 여러 가지를 새롭게 꾸밀 수 있습니다.

4 사고 영역 _ 논리적 사고

논술에서는 다양한 관점으로 사고하는 것이 중요합니다. 각 입장의 장단
점을 비교, 대조해 보고 논거를 들어 논증해 보세요.

마릴라는 브로치가 없어진 것을 알고 앤을 의심하며 앤의 말을 믿지
않습니다. 앤은 소풍에 가고 싶어서 거짓말로 브로치를 호수에 빠뜨렸다
고 합니다. 하지만 나중에 마릴라는 브로치가 트렁크에 넣어 둔 숄에 달
려 있는 것을 발견합니다.

마릴라의 입장에서 앤을 비판하기: 내가 너를 함부로 의심한 것은
잘못이지만 너도 거짓말한 것은 잘못한 일이란다. 필요에 의해서 그렇게
거짓말을 늘어놓는다면 다른 사람이 어떻게 너를 믿겠니? 브로치를 찾지
못했다면 너는 계속 브로치를 잃어버린 아이로 남아 있었을 거야. 무엇보
다 중요한 것은 진실이야. 믿음은 한번 잃어버리면 다시 쌓기 힘들단다.

앤의 입장에서 마릴라를 비판하기: 아주머니는 내가 처음에 브로치
를 제자리에 놓았다고 해도 저를 믿지 않았어요. 또 아주머니는 제가 사
실을 말하면 소풍을 보내 준다고 해 놓고 제가 브로치를 잃어버렸다고 했
을 때에도 소풍을 보내 주지 않았어요. 아주머니는 섣부른 판단을 내렸
고, 또 약속을 지키지 않았어요.

 CHECKPOINT

마릴라는 '거짓말하는 것은 나쁘다.'라고 말하고 있습니다. 앤은 '사람을 함부로
의심해서는 안 되고, 또 약속은 지켜야 한다.'라고 말하고 있습니다.

5 사고 영역 _ 논리적 사고

글 속에 숨어 있는 작가의 의도를 파악하고 찾을 수 있어야 합니다. 주어진 글을 바르게 분석하여 논술에 활용해 보세요.

앤은 고아였지만 밝은 성격을 가지고 있었습니다. 앤의 상상력은 자신을 밝게 변화시키고, 현실을 더 나은 방향으로 나아가게 하는 '긍정의 힘'이었습니다. 앤이 주변 사물에 이름을 붙이는 것은 그 사물을 자신과 관련 있는 친밀한 것으로 만드는 행위입니다.

〈어린 왕자〉에 나오는 어린 왕자에게 여우도 비슷한 말을 합니다. '친구를 가지고 싶다면 나를 길들여 줘.' 여기서 길들인다는 것은 억압하거나 지배하는 것을 의미하지 않습니다. 내가 누군가를 바라보고, 그 대상의 성질을 파악하고, 이름을 불러 주는 것처럼, 길들인다는 것은 내가 누군가와 함께 시간을 보내고, 서로 익숙해지고, 배려해 주고, 마음을 주는 행위를 의미합니다.

여러분 주위에도 수많은 물건과 사람들이 있습니다. 그들과 나는 어떠한 관계를 맺고 있는지 생각해 보고, 앤과 어린 왕자의 행복 비결을 배워 봅니다.

CHECKPOINT

앤과 어린 왕자가 주변 사물에 이름을 붙이고 길들이는 것은 서로에게 의미 있는 대상이 되어 더불어 행복하게 살아가기 위한 행위라 할 수 있습니다.

다음 글은 예시 답안입니다. 참고하시기 바랍니다.

　앤은 보잘것없는 주위의 사물들에 자기만의 멋진 이름을 붙여 주며 사랑의 대상으로 만들었다. 〈어린 왕자〉의 여우도 서로 친구가 되고 싶다면 그것을 길들이는 일부터 시작해야 한다고 했다. 나는 동물을 참 좋아한다. 그래서 대형 마트에 갈 때마다 동물을 파는 곳으로 달려간다. 거기에는 꼬리를 흔드는 물고기도 있고, 느림보 자라도 있다. 또 토끼와 기니피그, 장수풍뎅이, 사슴벌레도 있다. 그중에서 가장 나의 눈길을 끄는 것은 햄스터다. 어떤 사람들은 햄스터가 쥐처럼 생겨서 징그럽다고 하지만 내가 보기에는 조그맣고 몸짓도 날쌘 것이 여간 귀여운 게 아니다.

　부모님께 생일 선물로 햄스터를 사 달라고 졸랐다. 물론 먹이 주는 일이나 우리를 청소하는 일도 잘하겠다고 약속했다. 부모님은 내 애절한 눈빛을 보시고는 허락해 주었다.

　우리에는 조그만 햄스터들이 무수히 엉켜 있었다. 그중에서 나는 등에 대한민국 지도 같은 점이 있는 녀석을 골랐다. 이름은 점의 모양을 본떠 한국이라고 지었다. 나는 집으로 한국이를 데려와 우리를 꾸며 주었다. 물과 먹이를 넣어 주고 톱밥도 깔아 주었다. 한국이를 데리고 산책을 가기도 하고 내 방에 풀어놓고 놀기도 했다. 몇 달 뒤 한국이는 내 발소리만 들려도 우리 입구 쪽으로 달려 나왔다.

　나와 아무 상관이 없던 햄스터가 우리 집에 와서 한국이라는 이름을 갖게 되고, 나에게 큰 의미가 되어 주어 정말 고맙고 행복하다. 행복이라는 것은 이렇게 관심을 가지고, 애정을 주고, 함께 시간을 보내다 보면 손님처럼 찾아오는 것이 아닐까 하는 생각이 든다.

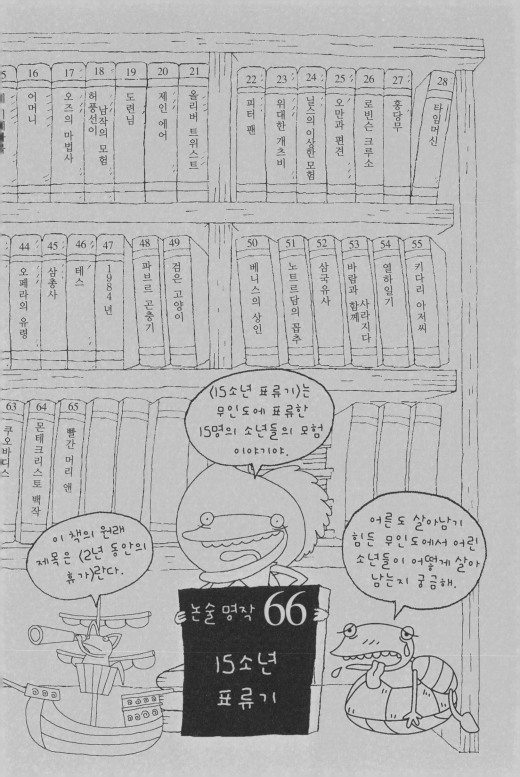